QUANDO FOI QUE COMEÇAMOS
A NOS ESQUECER DE DEUS?

QUANDO FOI QUE COMEÇAMOS A NOS ESQUECER DE DEUS?

Raízes da crise evangélica e esperança para o futuro

MARK GALLI

Traduzido por Claudia Santana Martins

Copyright © 2020 por Mark Galli
Publicado originalmente por Tyndale House Publishers,
Carol Stream, Illinois, EUA.

Os textos bíblicos foram extraídos da *Nova Versão
Transformadora* (NVT), da Tyndale House Foundation,
salvo a seguinte indicação: *Almeida Revista e
Atualizada*, 2ª ed. (RA), da Sociedade Bíblica do Brasil.

Todos os direitos reservados e protegidos pela Lei
9.610, de 19/02/1998.

É expressamente proibida a reprodução total ou
parcial deste livro, por quaisquer meios (eletrônicos,
mecânicos, fotográficos, gravação e outros), sem prévia
autorização, por escrito, da editora.

Edição
Daniel Faria

Revisão
Natália Custódio

Produção e diagramação
Felipe Marques

Colaboração
Ana Luiza Ferreira

Capa
Jonatas Belan

CIP-Brasil. Catalogação na publicação
Sindicato Nacional dos Editores de Livros, RJ

G16q

    Galli, Mark, 1952-
       Quando foi que começamos a nos esquecer de
Deus? : raízes da crise evangélica e esperança para o
futuro / Mark Galli ; tradução Claudia Santana Martins. -
1. ed. - São Paulo : Mundo Cristão, 2021.
      240 p.

      Tradução de: When did we start forgetting God?
      ISBN 978-65-86027-92-1

      1. Evangelicalismo - Estados Unidos. 2. Vida cristã.
3. Espiritualidade - Cristianismo. I. Martins, Claudia
Santana. II. Título.

21-70598

CDD: 270.82073
CDU: 2-766(73)

Publicado no Brasil com todos
os direitos reservados por:

Editora Mundo Cristão
Rua Antônio Carlos Tacconi, 69
São Paulo, SP, Brasil
CEP 04810-020
Telefone: (11) 2127-4147
www.mundocristao.com.br

Categoria: Igreja
1ª edição: julho de 2021

Sumário

Prefácio à edição em português	7
Introdução	11

PARTE I: A CRISE

1. Monomaníacos por Deus	21
2. Nós nos esquecemos de Deus	36

PARTE II: A IGREJA

3. Repensando a igreja: o problema da mentalidade missional	53
4. Repensando a igreja: panorama bíblico	59
5. Repensando a igreja: uma dieta mais equilibrada	74
6. O foco do culto	86
7. O que aconteceu com a Comunhão?	94
8. De volta à Bíblia	101
9. E agora, a estrela de nosso espetáculo...	110
10. Tornando os pequenos grupos maiores em propósito	120

PARTE III: APROFUNDANDO O DESEJO

11. Moldando o desejo	135
12. Amor e ódio	146
13. O mundo, a carne, o diabo e a religião	150
14. Não tenha outros deuses	165
15. Lembre-se de guardar o sábado	176

6 QUANDO FOI QUE COMEÇAMOS A NOS ESQUECER DE DEUS?

16. Assim me diz a Bíblia   183
17. Oração contemplativa   193
18. Sofrimento   200
19. Confissão   207
20. Amar o próximo enquanto se ama a Deus   216

Agradecimentos   225
Notas   227

Prefácio à edição em português

No papel de editor da *Christianity Today*, a principal revista evangélica americana, Mark Galli testemunhou em primeira mão todo o noticiário cristão e a consolidação de novas tendências na igreja dos Estados Unidos neste início de século. Passaram por sua mão notícias de milagres e escândalos, relatos de sacrifícios extraordinários mas também de corrupção inacreditável, histórias inspiradoras bem como denúncias de fazer ferver o sangue. Percebeu que diversas alas da igreja começavam a expor e defender suas visões particulares da interpretação bíblica, da política e da teologia com novo fervor e ímpeto excludente. As redes sociais serviram para identificar e enrijecer opiniões, fortalecer polos e dividir comunidades.

Galli assistiu de perto à crise que se instalava na igreja evangélica, uma crise de identidade e de propósito, do tipo que se cria quando deixamos Deus de lado em favor daquilo que habita as margens da fé, os projetos da igreja e as nossas preferências doutrinárias, políticas, culturais e comportamentais, definidas em reação àquilo que vem sendo imposto cada vez mais agressivamente pela sociedade.

O que ele viu o deixou atordoado. Não só se desiludiu com boa parte da igreja como também se viu afundando numa crise pessoal que abafou seu amor a Deus e deixou em seu lugar um pragmatismo cínico e frio. Quando se deu conta de seu estado de espírito, ficou assustado ao reconhecer que o que vinha criticando na igreja de seu país havia se instalado também

8 QUANDO FOI QUE COMEÇAMOS A NOS ESQUECER DE DEUS?

em seu coração. Caiu em si, tomou consciência daquilo que precisava mudar, corrigiu suas rotas ao longo do tempo e conseguiu se reequilibrar sob a generosidade do Espírito. Por fim, decidiu escrever este livro, que foi lançado nos Estados Unidos em abril de 2020.

Para Galli, a eleição de Donald Trump em 2016, com apoio de 81% dos evangélicos brancos, serviu para ilustrar uma nova realidade: pela primeira vez na história, as qualidades pessoais e morais de um candidato à presidência dos Estados Unidos já não eram tão importantes quanto seu alinhamento ideológico aos valores desses polos. O sucesso de Trump entre os evangélicos mostrou os extremos aos quais a igreja americana chegaria para defender sua pauta conservadora. Mas nem toda a igreja estava disposta a aceitar aquilo que via como os abusos de Trump na condução do governo. A *Christianity Today*, que normalmente não se alinha a polos que dividem a igreja, se viu na obrigação de tomar partido. No final de 2019, Galli publicou na revista um editorial no qual defendia o *impeachment* de Trump devido àquilo que descreveu como sua imoralidade grosseira e incompetência ética. Escreveu que o apoio persistente da igreja evangélica a Trump já prejudicava a reputação dos evangélicos e a compreensão do mundo sobre a natureza do evangelho. As reações ao artigo serviram para ilustrar o abismo entre os polos da igreja; revelaram a crise que motivou a publicação de *Quando foi que começamos a nos esquecer de Deus?*.

Por que nós da editora Mundo Cristão decidimos traduzir esta obra de Mark Galli para nossos leitores? Nossa missão nos impele a editar e distribuir os melhores textos de cosmovisão cristã, e nossa curadoria inclui autores brasileiros além de textos notáveis de fora do país. Consideramos sempre a utilidade das obras para quem vive no Brasil e em outros ambientes de língua portuguesa. No caso desta obra, avaliamos que a mesma dinâmica que afeta as igrejas americanas está presente aqui. No Brasil há também crescente polarização teológica em torno de ideologias e doutrinas. As divisões políticas entre esquerda e direita que separam a sociedade começam também a dividir igrejas. A expressão de opiniões a respeito dessas diferenças, antes sob grau maior de comedimento ou confidência, hoje é escancarada pelos megafones das redes sociais, que contribuem para dar visibilidade à animosidade. Infelizmente, o ambiente que levou Mark Galli a escrever seu livro para a igreja de seu país se duplica por aqui. Para o leitor brasileiro, então, *Quando foi que começamos a nos esquecer de Deus?* serve de alerta. Deus já vem sendo esquecido por aqui também.

As soluções para atenuar essa crise nascem — todas elas — de um ajuste de foco no qual permitimos que Deus seja restabelecido ao seu lugar de primazia. Esta obra extraordinária nos ensina a trocar as banalidades da religião pela centralidade de Deus em todos os lugares de nossa vida individual e coletiva. Aprender a enxergar Deus acontece como resultado de nossas prioridades, rotinas e disciplinas. Esse movimento de volta ao Criador enfraquece a crise e devolve à igreja sua identidade e seu propósito.

Os EDITORES

Introdução

É difícil saber quando a crise evangélica atual começou, porque um traço característico do movimento é a autocrítica implacável. O evangelicalismo é um movimento de reforma, e um objetivo dos evangélicos é reformar a si mesmos.

Lembro-me de quando tomei consciência de uma crise pessoal que me deu uma noção do desafio que todos enfrentamos. A noção veio em gotas, como na manhã em que me sentei no escritório em minha casa, com a xícara de café na mão, para uma vez mais tentar dar início às minhas devoções diárias. Era no começo do inverno e, sentado na poltrona, olhei para as árvores na vizinhança. O céu matinal estava se iluminando com o sol que nascia, e os contornos dos galhos nus das árvores se destacavam nitidamente.

A seguir veio-me um pensamento que pode ser banal como metáfora, mas surpreendente em seu significado. Os galhos sem vida retratavam o estado de minha vida espiritual. Minha vida cristã estava... bem... sem vida. Eu não tinha nenhum anseio de conhecer e amar a Deus. Não estava zangado com ele. Não duvidava de sua existência. Não estava lutando contra o problema do mal. Estava sendo um cristão fiel tanto quanto sabia ser. Mas — a ideia me ocorreu — eu não sentia nenhum amor por Deus.

Enquanto tomava o café, minha mente foi engrenando devagar. Percebi também que, embora orasse e lesse as Escrituras regularmente, mesmo que aos trancos e barrancos, minha

12 QUANDO FOI QUE COMEÇAMOS A NOS ESQUECER DE DEUS?

vida não seria muito diferente se eu não orasse e lesse minha Bíblia. Eu estava vivendo como um ateu prático. Minha relação pessoal com Deus não afetava realmente nada do que fazia ou dizia, exceto os ornamentos formais do cristianismo. Eu era, nessa época, editor geral da *Christianity Today*, por isso, naturalmente, publicava e escrevia muitos textos que eram cristãos até o âmago. Mas percebi que, se nunca mais orasse, ainda conseguiria ser um editor muito bom de uma revista cristã e um membro muito bom da igreja em minha paróquia local. Sabia como me relacionar bem com os outros, gerenciar a equipe, trabalhar com os superiores, interagir com colegas da igreja, conseguir que as tarefas fossem realizadas, e assim por diante. Mas orar não era necessariamente fazer tudo isso. Aquelas eram habilidades aprendidas que haviam, até certo ponto, se tornado bons hábitos. Meu relacionamento pessoal com Deus não fazia nenhuma diferença, no fim das contas.

Meu pensamento seguinte foi: "Bem, se me considero cristão, eu deveria ter mais amor a Deus e desejar conhecê-lo mais profundamente. Talvez eu devesse orar para isso". Todavia, naquela manhã, como em outras, ocorreu-me que eu não estava certo de querer aquilo. Reconheci que aquela era uma confissão estranha para alguém que alegava ser cristão. Mas era isso. Não achava que *quisesse* amar mais a Deus de fato.

Eu havia mergulhado nas Escrituras e na teologia cristã fundo o bastante para saber que não havia desejo maior do que ansiar por Deus, alegria ou felicidade maior do que conhecer a Deus com uma intimidade crescente. E, no entanto, precisava admitir, enquanto olhava para aqueles galhos sem folhas e para dentro de meu coração gelado, que tinha pouco ou nenhum interesse nisso.

INTRODUÇÃO 13

Percebi, naquele momento, que não havia como ocultar tudo isso de Deus, e que Deus já conhecia o estado de meu coração e minha vontade havia algum tempo e estava esperando, paciente e misericordiosamente, que eu mesmo o notasse. Foi quando percebi também que a oração mais sincera seria simplesmente: "Senhor, ajuda-me a querer te amar".

Há um risco em universalizar a experiência pessoal de alguém para aplicar aos outros, quanto mais a todo um corpo de crentes. Mas, na verdade, creio que o processo foi o inverso. Já há algumas décadas, como comprovam meus textos, tenho notado que o cristianismo em meu país tem se mostrado cada vez menos interessado em Deus e cada vez mais interessado em executar boas ações para Deus. Aprendemos como sermos eficazes para ele a ponto de não precisarmos mais dele. Foi essa preocupação gradativa que finalmente se apoderou de mim, fazendo-me compreender que essa não era apenas uma crise de outras pessoas, mas uma crise que todos compartilhamos. Sendo tão integrado ao cristianismo evangélico, sentia-me especialmente preocupado com a minha própria tribo.

E eu não era o único a pensar que há uma crise evangélica. Se tivesse de escolher o momento em que a crise atual começou a aflorar em nossa consciência, escolheria a publicação em 1995 do livro de Dave Tomlinson, *The Post-Evangelical* [O pós-evangélico]. Ele situou o início do livro dois anos antes, quando, no Greenbelt Festival, na Grã-Bretanha, um amigo fez uma referência de passagem a "nós, pós-evangélicos". Embora não tivesse certeza do que significava, Tomlinson decidiu descobrir, já que o termo repercutia nele e em seus amigos. O livro, nas palavras dele, é um "ensaio pastoral dirigido àqueles (e há muitos) [...] que lutam com restrições na teologia, espiritualidade e cultura da igreja evangélica".[1]

O livro causou sensação na Grã-Bretanha, e pessoas com ideias afins nos Estados Unidos começaram a se interessar. A partir dessa e de outras influências surgiu o movimento Igreja Emergente, que visava, entre outros objetivos, adaptar a teologia evangélica à sensibilidade pós-moderna. Talvez a tentativa mais conhecida seja a trilogia Novo Tipo de Cristão, de Brian McLaren, iniciada em 2001, que culminou em outro livro, *A New Kind of Christianity* [Um novo tipo de cristianismo], de 2010. Com a publicação desse último livro, McLaren não estava apenas questionando o evangelicalismo, mas também o cristianismo ortodoxo. Para ele e muitos outros líderes da Igreja Emergente, a crise do evangelicalismo era também a crise do cristianismo tradicional. Ambos, afirmava McLaren, estavam atolados no espírito da "modernidade", na rigidez teológica e em uma leitura literal das Escrituras, além de serem indiferentes ao mistério, mais interessados em proclamar respostas do que em "viver as perguntas".

O "desencanto" de McLaren intensificou-se com o crescente alinhamento dos cristãos conservadores com as políticas da direita.[2] Avancemos rapidamente até 9 de novembro de 2016, o dia depois que Donald Trump foi eleito presidente dos Estados Unidos e o desencanto se espalhou e se transformou em raiva para muitos líderes evangélicos, quando fomos informados de que 81% dos eleitores brancos que se identificavam como "evangélicos" votaram em Trump.

O presidente do Fuller Theological Seminary, Mark Labberton, resumiu a crise do evangelicalismo em um encontro nacional de líderes evangélicos na Wheaton College em 2018. Chamando o acontecimento de "negociação política", ele repreendeu os evangélicos por ambicionarem o poder político, pelo racismo, pelo nacionalismo e pela falta de preocupação

INTRODUÇÃO **15**

com os pobres.[3] É claro que ele estava falando apenas sobre os evangélicos conservadores, mas, para ele e muitos líderes evangélicos, são esses evangélicos que criaram *a* crise do evangelicalismo hoje.

Não há dúvida de que a crise hoje é mais intensa do que nunca, com muitos evangélicos (geralmente aqueles que querem se distanciar de todos os que apoiaram Donald Trump) abandonando esse rótulo, preferindo ser conhecidos como "seguidores de Jesus" ou "cristãos da letra vermelha" ou apenas "cristãos". Esse desconforto com o nome existe há anos, a começar daqueles que se sentem mais afinados com rótulos como *pós-evangélico* ou *emergente*. Tão perturbadores são esses acontecimentos que a InterVarsity Press encomendou um livro dedicado ao significado e futuro do movimento: *Still Evangelical? Insiders Reconsider Political, Social, and Theological Meaning* [Ainda evangélicos? Membros do movimento reconsideram o significado político, social e teológico] (um livro para o qual contribuí).[4]

É claro que outros localizaram a crise do outro lado do espectro político e teológico, assim como haviam feito vinte anos antes em *The Compromised Church: The Present Evangelical Crisis* [A igreja que cedeu: A crise evangélica atual], uma antologia com contribuições de Mark Dever, Al Mohler e Phil Ryken, entre outros. Para esses escritores, a igreja evangélica se tornou superficial teologicamente, biblicamente e no culto. Há muitos pontos elogiáveis em suas ideias também.

Outra visão da crise vem da jornalista e historiadora Molly Worthen. Em *Apostles of Reason: The Crisis of Authority in American Evangelicism* [Apóstolos da razão: A crise de autoridade no evangelicalismo americano], ela afirma que o evangelicalismo está repleto de contradições e confusões porque o movimento nunca teve uma autoridade única a guiar sua vida e fé.[5]

16 QUANDO FOI QUE COMEÇAMOS A NOS ESQUECER DE DEUS?

Isso pode ter sido uma revelação para os não evangélicos, mas certamente não o foi para aqueles dentro do movimento. Essa falta de autoridade estruturada é a maior força e fraqueza do evangelicalismo. Basear-se apenas na Bíblia e na leitura que cada pessoa faz dela permitiu ao evangelicalismo ser um movimento dinâmico, que molda a fé de modo atraente para cada geração e cada cultura. Mas essa falta de uma autoridade central cria, inevitavelmente, discussões e divisões e, portanto, uma crise permanente, de certa forma.

Essas são apenas algumas das crises que aqueles dentro e fora do movimento mencionam, e cada um dos críticos está certo em mais do que um aspecto. Como editor-chefe da *Christianity Today*, e como alguém que está incorporado à cultura do evangelicalismo há mais de meio século, não apenas escutei todas essas queixas como também reconheço a parcela de verdade em cada uma delas. Elas não devem ser descartadas com um simples gesto de mão.

Existe, sem dúvida, uma crise política (mas, em minha opinião, está à direita *e* à esquerda). E uma crise de racismo (certamente entre brancos, mas também cada vez mais entre minorias). E uma crise teológica. E uma crise bíblica. E uma crise no culto (e não apenas por causa de cânticos de adoração fracos). Uma crise no casamento e na família. Uma crise no evangelismo. Uma crise na justiça social. Uma crise na assistência pastoral. Uma crise no discipulado. E assim por diante.

Há um bom tempo, temos visto aumentarem as previsões da morte do evangelicalismo. Dez anos atrás, o falecido blogueiro Michael Spencer incitou uma das primeiras conversas nas redes sociais sobre a viabilidade do evangelicalismo com o ensaio "Minha previsão: o colapso evangélico se aproxima". Entre outras declarações, encontra-se esta:

INTRODUÇÃO 17

Este colapso, acredito, anunciará a chegada de um capítulo anticristão do pós-cristianismo ocidental, e mudará a forma como dezenas de milhões de pessoas veem todo o âmbito da religião. A intolerância do cristianismo crescerá a um nível que muitos de nós não acreditávamos possível em nosso tempo de vida, e as políticas públicas se tornarão especialmente hostis para com o cristianismo evangélico, vendo-o cada vez mais como o oponente ao bem dos indivíduos e da sociedade.

A reação dos evangélicos a esse novo ambiente será uma retomada das mesmas retóricas e reações que temos visto desde o início da atual guerra cultural na década de 1980. A diferença será o abandono de milhões de evangélicos: abandonarão as igrejas, abandonarão a adesão às singularidades evangélicas e abandonarão a resistência à onda crescente da cultura.

Muitos que deixarão o evangelicalismo o deixarão em troca de nenhuma filiação religiosa. Outros deixarão pelo ateísmo ou secularismo agnóstico, com uma forte rejeição pessoal à crença cristã e à influência cristã. Muitos de nossos filhos e netos abandonarão o navio, e muitos o farão dizendo "bons ventos os levem!".[6]

Eu era cético quanto a isso na época em que ele escreveu o ensaio, e o afirmei publicamente. Mas hoje admito que Spencer estava mais certo do que errado. Os acontecimentos e pesquisas recentes confirmam muitas de suas previsões. Estamos realmente em um momento de crise no evangelicalismo americano.

Sendo claro, não me importa se, como muitos preveem, o movimento conhecido como evangelicalismo desaparecer ao pôr do sol. Deus criou muitos movimentos reformistas desde o Dia de Pentecostes e viu muitos morrerem — alguns deles suspeito que foi ele mesmo que extinguiu. Se o evangelicalismo

18 QUANDO FOI QUE COMEÇAMOS A NOS ESQUECER DE DEUS?

desaparecer, ele criará, em sua misericórdia, outro movimento que dará nova vida a seu povo. O futuro da igreja nos Estados Unidos não depende da saúde do evangelicalismo; depende do poder de Deus. Diria que estamos em boas mãos.

Dito isso, nos Estados Unidos o evangelicalismo teve um início único, que lhe deu energias e o sustentou durante mais de dois séculos. E foi um dos movimentos mais revolucionários na história da igreja, mudando as feições não só do cristianismo nos Estados Unidos como, por meio do movimento missionário do século 19, em todo o globo. Essa história contém muitos elementos perturbadores, como vários já observaram. Isso não é de surpreender, porque é um movimento cheio de pecadores. Mas Deus tem sido bom e, apesar de tudo, o tem utilizado para possibilitar que pessoas de todas as condições sociais e de todos os cantos do mundo conheçam a graça insuperável de Jesus Cristo.

Apesar disso, o evangelicalismo contemporâneo está em graves dificuldades. Na verdade, essa crise é a mesma que aflige todo o cristianismo nos Estados Unidos. Correndo o risco de húbris e de apenas acrescentar mais um item à lista aparentemente interminável de crises, neste livro eu sugiro que uma crise está no coração do que aflige grandes parcelas da igreja em meu país. Alexander Soljenítsin mencionou-a em seu discurso ao receber o Prêmio Templeton de Progresso na Religião em 1983. Ele se referia à cultura ocidental ao dizer isso, mas a frase se aplica à igreja nos Estados Unidos, evangélica ou não:

Nós nos esquecemos de Deus.

PARTE I

A crise

1

Monomaníacos por Deus

Parece absurdo dizer que nos esquecemos de Deus, quando Deus está em nossos lábios grande parte do tempo. Embora os números tenham caído um pouco em relação às décadas anteriores, os americanos adoram, oram, leem a Bíblia e declaram nas pesquisas que a religião é "muito importante" em porcentagens significativamente maiores do que as pessoas de outras nações desenvolvidas. Na verdade, os evangélicos falam tanto de Deus que muitos nesse meio estão cansados de nossa conversa sobre Deus, principalmente quando o nome de Deus é invocado em praça pública em apoio a uma causa política ou outra. Então como posso dizer que nos esquecemos de Deus?

Começarei, na Parte I, descrevendo como se parece a igreja que *não* se esqueceu de Deus. A partir daí analisarei especificamente como o evangelicalismo, devagar mas inegavelmente, desalojou Deus do centro de sua atenção.

Na Parte II, tratarei do estado da igreja evangélica, começando com um argumento em três capítulos que critica a visão mais proeminente na igreja, ao mesmo tempo que sugere uma alternativa. Depois disso, mostrarei como, em cada aspecto da vida da igreja — culto, pregação, pequenos grupos e assim por diante — somos tentados a tirar os olhos de Deus e voltá-los para nós mesmos.

Na Parte III, vou sugerir alguns dos aspectos de uma vida de profunda devoção a Deus, bem como algumas formas

QUANDO FOI QUE COMEÇAMOS A NOS ESQUECER DE DEUS?

pelas quais podemos iniciar essa jornada longa e árdua, mas frutífera.

Primeiro, porém, vamos descrever como é uma igreja que não se esqueceu de Deus. Para dizer de modo sucinto, uma igreja que não se esqueceu de Deus exibe uma característica principal: um desejo por Deus — um desejo tão intenso que às vezes parece embriaguês ou até loucura.

O primeiro lugar a recorrer em busca de um retrato dessa paixão são as Escrituras.

Desejo do início ao fim

O exemplo mais vívido de tal desejo é o rei Davi. Davi era conhecido como um homem de ação, um líder militar, o rei de uma nação, ocupado com os assuntos nacionais. Ficou famoso também pelo caso extraconjugal com Bate-Seba e o subsequente assassinato do marido dela. Mas a característica que parece lhe ter granjeado o rótulo de "um homem segundo o coração de Deus" (ver At 13.22) foi a de buscar a Deus de todo o coração.

O salmo 63 expressa isso da maneira mais eloquente:

Ó Deus, tu és meu Deus;
    eu te busco de todo o coração.
Minha alma tem sede de ti;
    todo o meu corpo anseia por ti
nesta terra seca, exausta
    e sem água.
Eu te vi em teu santuário
    e contemplei teu poder e tua glória.
Teu amor é melhor que a própria vida;
    com meus lábios te louvarei.
Sim, te louvarei enquanto viver;

a ti em oração levantarei as mãos.
Tu me satisfazes mais que um rico banquete;
com cânticos de alegria te louvarei.

Salmos 63.1-5

Acreditando que a presença de Deus estaria principalmente no templo, Davi também orou:

A única coisa que peço ao SENHOR,
o meu maior desejo,
é morar na casa do SENHOR todos os dias de minha vida,
para contemplar a beleza do SENHOR
e meditar em seu templo.

Salmos 27.4

É claro que Davi não foi o único salmista a ansiar pela presença concreta de Deus. O salmo 42 foi escrito pelos "descendentes de Coré" e começa, celebremente:

Como a corça anseia pelas correntes de água,
assim minha alma anseia por ti, ó Deus.
Tenho sede de Deus, do Deus vivo;
quando poderei estar na presença dele?

Salmos 42.1-2

Esses exemplos poderiam ser multiplicados, como qualquer leitor dos Salmos sabe. Os salmistas eram movidos pelo desejo de conhecer a Deus. Não só de conhecer sua vontade. Não só de fazer sua vontade. Não só de serem sábios. Não só de serem justos. Mas de *conhecer a Deus*, estar com Deus, deleitar-se em sua presença.

Pessoas de natureza estoica, como eu, são tentadas a supor que tal paixão é apenas para personalidades extremamente

24 QUANDO FOI QUE COMEÇAMOS A NOS ESQUECER DE DEUS?

emocionais. Para ser franco, às vezes Davi e os outros salmistas me parecem emocionalmente em frangalhos, ou lamentando seu estado miserável, ou implorando desesperadamente por ajuda divina, ou ansiando apaixonadamente por Deus. Meu instinto é simplesmente lhes dizer que se acalmem.

Mas esse impulso extremado de conhecer e amar a Deus se encontra disseminado por toda a Bíblia, o que me faz questionar meu estoicismo. Nós o vemos também, por exemplo, em Isaías, o profeta: "À noite eu te procuro, ó Deus; pela manhã te busco de todo o coração" (Is 26.9). Nós o vemos em Paulo: "Sim, todas as outras coisas são insignificantes comparadas ao ganho inestimável de conhecer a Cristo Jesus, meu Senhor. Por causa dele, deixei de lado todas as coisas e as considero menos que lixo, a fim de poder ganhar a Cristo e nele ser encontrado" (Fp 3.8-9). E nós o vemos na vida e ministério de Jesus — não tanto no desejo de ser um com Deus (que seria absurdo naquele em quem Deus habita plenamente), mas em seus ensinamentos, sobretudo naquele que ele dizia ser o maior dos mandamentos: "Ame o Senhor, seu Deus, de todo o seu coração, de toda a sua alma, de toda a sua mente e de todas as suas forças" (Mc 12.30). Isso abrange o cenário emocional, espiritual, mental e físico da vida humana.

Em outras palavras, Jesus nos ordenou que fôssemos monomaníacos por Deus, tão obcecados em conhecer e amar a Deus que outras pessoas talvez duvidem de nossa sanidade. Como Francisco de Assis, cujo pai ficou tão surpreso com seus esforços de seguir Jesus radicalmente que o trancou no porão da casa na esperança de que o filho recuperasse a razão. Como Jesus, cuja família achou que estivesse "fora de si" (Mc 3.21).

Novamente, pessoas como eu — que tentam manter as emoções sob controle, conduzir o barco da vida de modo equilibrado, fazer tudo com calma — tentam se safar dessa alegando que esse primeiro e maior mandamento se refere apenas a obedecer aos mandamentos de Deus. Demonstramos nosso amor a Deus cuidando dos outros de maneiras bem práticas: fazendo favores para amigos, escutando atentamente os colegas de trabalho com problemas, atendendo em algum posto de distribuição gratuita de alimentos, e talvez até permanecendo em vigília de oração em uma clínica de aborto ou participando de uma passeata de protesto contra a injustiça racial. Executar ações que ajudam os outros — eis o que significa amar a Deus.

Isso com certeza é parte do processo (ver 1Jo 5.3!). Mas aí é que está o problema: Jesus não disse que amar o próximo é a forma pela qual demonstramos que amamos a Deus. Ele disse que o primeiro mandamento é amar a Deus, e então anunciou um segundo mandamento — como que de uma categoria diferente —, que é amar o próximo. Esse segundo mandamento não era um comentário ao primeiro.

Acrescente-se a isso o caráter singular do primeiro mandamento. Há algo de extraordinário no amor a Deus. Somos ordenados a amar a Deus com todo o espectro de emoções, com todo o fervor espiritual, com esforço intelectual incessante e com todas as energias disponíveis.

Jesus, como de hábito, estava usando hipérbole, porque, se fôssemos amar a Deus desse jeito, não sobraria nada para o próximo. Mas o recado foi dado. Jesus estava simplesmente expressando na forma de mandamento a paixão eloquentemente encontrada nos Salmos: "Quem mais eu tenho no céu senão a ti? Eu te desejo mais que a qualquer coisa na terra" (Sl 73.25). Ele nos chama a cultivar esse desejo profundo e permanente.

26 QUANDO FOI QUE COMEÇAMOS A NOS ESQUECER DE DEUS?

Famintos por Deus

As Escrituras empregam diversas metáforas para expressar a intensidade e a maravilha desse desejo. Um par de metáforas transmite a ideia de nutrição corporal: fome e sede.

Vemos isso pela primeira vez no relato do êxodo, quando Moisés dá uma lição a partir do milagre do maná:

> Sim, ele os humilhou, permitindo que tivessem fome. Em seguida, ele os sustentou com maná, um alimento que nem vocês nem seus antepassados conheciam, a fim de lhes ensinar que as pessoas não vivem só de pão, mas de toda palavra que vem da boca do SENHOR.
>
> Deuteronômio 8.3

Esse, é claro, é o versículo que Jesus cita quando tentado por Satanás a quebrar o jejum. Mas essa não é a única vez que Jesus emprega a metáfora. Em outra ocasião, ele explica a uma multidão que o Pai era responsável por alimentar os israelitas no deserto com pão do céu, mas ele agora oferece "o verdadeiro pão do céu".

Os ouvintes dizem: "Senhor, dê-nos desse pão todos os dias".

Jesus responde: "Eu sou o pão da vida. Quem vem a mim nunca mais terá fome. Quem crê em mim nunca mais terá sede" (Jo 6.32-35).

Quando os ouvintes se tornam cada vez mais incomodados com seus ensinamentos, Jesus dobra a aposta, dizendo algo que os deixa decididamente espantados:

> Eu lhes digo a verdade: se vocês não comerem a carne do Filho do Homem e não beberem o seu sangue, não terão a vida em si mesmos. [...] Pois minha carne é a verdadeira comida, e meu

sangue é a verdadeira bebida. Quem come minha carne e bebe meu sangue permanece em mim, e eu nele.

João 6.53-56

É uma imagem violenta, francamente canibalística, visando causar um choque para que as pessoas caiam numa realidade mais profunda: a natureza intensa e pessoal de nossa união com Deus. Assim como a comida e a bebida nos nutrem e nos sustentam e se tornam parte de nosso corpo, da mesma forma Jesus nos sustenta e nos nutre e se torna um conosco em espírito. E se quisermos essa união tão íntima e vital, teremos fome e sede dela como de mais nada no mundo.

Eu e muitos de meus leitores vivemos em terras de fartura, então a metáfora bíblica provavelmente não funciona bem para nós. Nossas dores de fome geralmente não duram mais do que alguns minutos. Sempre há algo a nosso alcance — em alguma geladeira, loja ou máquina de venda automática — para nos alimentar. A fome para nós é uma mera inconveniência, e a comida é entretenimento. Assistimos a *reality shows* na TV que exibem a fartura de alimentos e a criatividade dos *chefs* de cozinha, e alguns de nós nos orgulhamos de ser *gourmets*.

Os autores bíblicos conheciam pouco da afluência de que desfrutamos. Não era incomum para eles aguentarem períodos sem beber ou comer. A comida não era nem um passatempo nem para satisfazer os desejos, mas, muitas vezes, uma questão de vida ou morte.

Seria muito mais provável que se identificassem com as vítimas modernas da escassez. Christopher Hitchens descreve um período de escassez que testemunhou em uma viagem à Coreia do Norte:

28   QUANDO FOI QUE COMEÇAMOS A NOS ESQUECER DE DEUS?

Nos campos, veem-se pessoas catando grãos soltos de arroz e milho, remexendo em todo lixo. Parecem cadavéricos e exaustos. Nos poucos e encardidos restaurantes na cidade, e até mesmo nos poucos hotéis modernos, a sopa, o chá ou o café são tão ralos que se pode ler o *Pyongyang Times* através deles. Pedaços de gordura ou cartilagem não identificados são servidos como "pato". Certa noite, dei-me por vencido e experimentei uma tigela de guisado de cachorro, que pelo menos tinha um sabor forte e temperado [...], mas então meu apetite diminuiu radicalmente ao perceber que não havia visto nenhum animal doméstico, nem mesmo um mero gato, durante todo o tempo em que tinha estado lá.[1]

Sentir fome e sede por Deus no sentido bíblico é estar desesperado por Deus. O salmista, entre outros, acredita que, sem Deus, está faminto e desidratado, como alguém cuja pele está grudada nos ossos e expondo o esqueleto, cuja falta de vigor alimenta o desespero, que vasculha o chão em busca de um mero grão de arroz. O salmista deseja tanto conhecer a Deus e seu amor — e é aqui que a metáfora da nutrição é transcendida, de modo irônico — que ele diz que isso é "melhor que a própria vida" (Sl 63.3).

O romance de Deus

O amor romântico é outra metáfora bíblica que retrata esse desejo.

Em nossa época, recuperamos o significado original do Cântico dos Cânticos como uma celebração do amor romântico entre um homem e uma mulher. Mas durante séculos a igreja entendeu também, corretamente, o amor romântico como um símbolo do amor entre Deus e seu povo. Por exemplo,

MONOMANÍACOS POR DEUS **29**

Bernardo de Claraval publicou 86 sermões sobre o Cântico dos Cânticos, discursando com eloquência exatamente sobre esse tema.

Bernardo chegou a essa interpretação sincera e biblicamente. Talvez o uso mais conhecido da metáfora se encontre na discussão do apóstolo Paulo sobre o amor conjugal, dizendo que, de certa forma, este retrata o amor entre Deus e nós: "'Por isso o homem deixa pai e mãe e se une à sua mulher, e os dois se tornam um só'. Esse é um grande mistério, mas ilustra a união entre Cristo e a igreja" (Ef 5.31-32).

Paulo usa essa metáfora em ainda outra passagem: "Pois o cuidado que tenho com vocês vem do próprio Deus. Eu os prometi como noiva pura a um único marido, Cristo" (2Co 11.2).

Paulo chegou a essa metáfora corretamente também, inspirando-se em muitas passagens do Antigo Testamento que retratavam Deus como o noivo e Israel como a noiva. Vejam esta, do profeta Isaías:

> "Pois seu marido será aquele que a fez;
>> o Senhor dos Exércitos é seu nome!
> Ele é seu Redentor, o Santo de Israel,
>> o Deus de toda a terra.
> Pois o Senhor a chamou de volta de seu lamento,
>> você que era como uma jovem esposa abandonada",
> diz o seu Deus.
>
> Isaías 54.5-6

Talvez o uso mais famoso e extenso da metáfora venha de Oseias:

> Eu me casarei com você para sempre,
>> e lhe mostrarei retidão e justiça,

amor e compaixão.
Serei fiel a você e a tornarei minha,
e você conhecerá a mim, o Senhor.

Oseias 2.19-20

Jesus aperfeiçoa esse tema, usando imagens de casamento em suas parábolas para retratar nosso relacionamento com Deus no reino dos céus: "O reino dos céus pode ser ilustrado com a história de um rei que preparou um grande banquete de casamento para seu filho" (Mt 22.2).

E isso (junto com a metáfora da nutrição) vai até o final da Bíblia, na visão da culminação de todas as coisas:

"Aleluia!
Porque o Senhor, nosso Deus, o Todo-poderoso, reina.
Alegremo-nos, exultemos
 e a ele demos glória,
pois chegou a hora do casamento do Cordeiro,
 e sua noiva já se preparou.
Ela recebeu um vestido do linho mais fino,
 puro e branco".

Porque o linho fino representa os atos justos do povo santo.

Apocalipse 19.6-8

Não é de admirar, então, que Bernardo, entre outros autores da igreja, explore essa metáfora ao abrir uma série de sermões sobre o Cântico dos Cânticos. No sermão 3, ao explicar o significado de "Beija-me com os beijos de tua boca" (Ct 1.2, RA), ele diz:

Qualquer um que tenha recebido esse beijo místico da boca de Cristo ao menos uma vez, busca novamente essa experiência íntima, e anseia pela sua renovação frequente. Acho que ninguém consegue entender isso a não ser aquele que o recebe. Pois é "um maná escondido" e apenas aquele que o come terá fome dele.[2]

(Notem que ele também emprega a metáfora da nutrição.)

Em suma, o desejo por Deus não é diferente de se apaixonar, no sentido de que o apaixonado não deseja nada além de estar com o ser amado. É como a paixão física que os jovens amantes sentem um pelo outro. E é como o êxtase da união sexual que satisfaz momentaneamente de modo profundo, mas logo se torna um desejo de experimentar o êxtase outra vez.

Protoevangélicos

Bernardo é um dos muitos protoevangélicos em sua ênfase sobre o relacionamento pessoal, íntimo e passional que podemos ter com Deus. Como ele observou em *Tratado sobre o amor de Deus*:

> Ele é tudo de que preciso, tudo o que desejo. Meu Deus e meu sustento, eu te amarei por tua grande bondade; não tanto quanto deveria, por certo, mas tanto quanto puder. Não posso amar-te como mereces ser amado, pois não posso amar-te mais do que minha fraqueza permite. Eu te amarei mais quando me julgares digno de receber maior capacidade de amar; ainda assim, nunca tão perfeitamente como tu mereces de mim.[3]

Encontrar o Deus vivo é encontrar duas realidades ao mesmo tempo. A primeira foi expressa do modo mais eloquente pelo filósofo e matemático Blaise Pascal, quando descreveu, hesitante, aparentemente no momento mesmo em que acontecia, uma surpreendente visão:

Ano da graça de 1654, segunda-feira, 23 de novembro.
Desde cerca de dez e meia da noite até cerca de meia-noite e
meia —
FOGO.
DEUS de Abraão, DEUS de Isaque, DEUS de Jacó
não dos filósofos nem dos eruditos.
Certeza. Certeza. Sentimento. Alegria. Paz.
DEUS de Jesus Cristo.
Meu Deus e teu Deus.
Teu DEUS será meu Deus.
Esquecimento do mundo e de tudo,
exceto de DEUS.[4]

Muitos santos experimentaram essa realidade, se não em uma visão direta, avassaladora, com certeza em algum encontro que jamais conseguirão esquecer. Jamais conseguirão esquecer por causa da segunda realidade que acompanha um contato com o Deus vivo: a insaciabilidade. C. S. Lewis falou sobre uma experiência desse tipo como um contato com a alegria:

> É difícil encontrar palavras fortes o bastante para descrever a sensação que se apoderou de mim [...]. Foi uma sensação, é claro, de desejo; mas desejo de quê? [...] Um desejo não satisfeito que é em si mesmo mais desejável do que qualquer outra satisfação. Chamo-o de Alegria, que aqui é um termo técnico e deve ser distinguido claramente tanto da Felicidade quanto do Prazer. A Alegria (no sentido que lhe dou) possui uma característica e apenas uma em comum com os outros dois: o fato de que qualquer um que a tenha experimentado desejará experimentá-la outra vez.[5]

O erro cardinal em alguns círculos cristãos é dizer às pessoas que conhecer a Deus nos trará a paz. Sim, no sentido de

MONOMANÍACOS POR DEUS **33**

conhecer o perdão e o propósito na vida. Mas, em um sentido mais profundo, um encontro com Deus nos traz não apenas satisfação, mas também profunda insatisfação; não apenas realização, mas também desejo, e um desejo que jamais será realizado. Em *Revelações do amor divino*, Juliana de Norwich chamou-o de "um desejo insuportável". Ela escreveu: "Se ele, em sua graça, nos deixa ver algo dele mesmo, então somos movidos pela mesma graça a buscar com um grande desejo vê-lo mais plenamente". Descreveu de modo ainda melhor ao dizer: "Eu o vi e o busquei. Eu o tive e o quis".[6]

Desejamos o infinito, aquilo para o qual todos os outros desejos apenas apontam. E quando nossos desejos são realizados, mesmo que brevemente, reconhecemos quanto mais existe na beleza, maravilha e amor de Deus. Jamais conseguiremos exaurir a maravilha e a glória de Deus — e, só por essa razão, esse é o mais precioso dos desejos.

Novamente, uma pessoa como eu é tentada a dizer que o desejo é dado apenas a umas poucas pessoas naturalmente espirituais. Elas têm um desejo extraordinário por Deus, mas a maioria de nós deseja realidades concretas e nutre uma paixão especial por coisas como comida e bebida, romance e amor, bela música ou belas artes, ou por estar no esplendor da criação, e assim por diante. Cada um com suas preferências. Essa paixão espiritual não é para todos, penso eu.

E, no entanto, Jesus diz que é, no sentido de que ordena que todos cultivemos o amor a Deus e o cultivemos em sua máxima extensão. Esse, como todos os mandamentos, não é tanto um "dever" como uma promessa: faça isso e viverá. Viverá *de verdade*.

Em nossa inquietude, voamos de um objeto a outro seguindo nossos desejos, esperando, contra tudo e todos, achar algo, qualquer coisa, que irá nos curar do tédio e satisfazer nossos anseios. Tudo o que buscamos — segurança financeira, amor, realização em uma vocação, a alegria de um entretenimento ou passatempo, etc. — são meros ponteiros para algo mais verdadeiro, melhor e mais belo. Permanecemos inquietos exatamente porque confundimos essas sombras com o que é real.

Em nossos piores momentos, criamos ídolos a partir de coisas penúltimas que desejamos. Em nossos momentos mais inocentes, somos como viajantes confusos que se alegram por haver concluído uma etapa como se tivéssemos chegado a nosso glorioso destino. Em qualquer dos casos, há algo melhor esperando por nós. Agostinho, refletindo sobre sua juventude, escreveu: "Procurei, não em Deus, mas em suas criaturas, em mim mesmo e em outras, prazeres, honras, verdades, e assim mergulhei em tristezas, conflitos, erros. Graças sejam dadas a ti, minha Alegria e minha Glória e minha Esperança e meu Deus, graças sejam dadas a ti por tuas dádivas".[7]

Comentando sobre essa passagem, o estudioso de Agostinho, Michael Foley, observou que ela descreve a teologia do desejo de Agostinho: "O apetite pelo prazer físico é, no fim das contas, um suspiro pela felicidade em Deus e, assim, a tentativa de satisfazê-lo com bens criados, em vez de com o Criador, termina em dor, em vez de alegria".[8] O mesmo se aplica à ânsia por nobreza e verdade.

Portanto, não existe ninguém que não "curta Deus", por assim dizer. O único ponto em questão é se temos consciência do que é que desejamos e onde nossos desejos estão determinados a nos conduzir. Como Agostinho observa, em palavras célebres e sucintas: "Nosso coração não tem sossego enquanto não repousar em ti".

Desejar a Deus — essa é a totalidade e a essência da vida. Não é apenas uma exigência entre muitas, mas o *maior* dos mandamentos. Não é meramente um dever a cumprir, mas a realização da própria vida: amar a Deus de todo o coração, de toda a alma, de toda a mente e de todas as forças. Não há maior bênção do que se entregar a essa busca e desfrutar do desejo perene que ela produz em nós. É a isso que se refere o Breve Catecismo de Westminster quando diz que o principal propósito dos homens e mulheres é "glorificar a Deus e dele desfrutar para sempre".

Portanto, o salmista não é neurótico, nem está emocionalmente em frangalhos, como sou às vezes tentado a pensar, mas é a mais sã das criaturas humanas. Se essa monomania é uma doença mental, então vamos todos compartilhar dela. A igreja não é só um hospital para pecadores, mas também um asilo para aqueles santos perturbados que são monomaníacos por Deus, que não querem nada além de buscá-lo, sabendo muito bem que a busca jamais se encerra e, ainda assim, sabendo bem demais que não há nada melhor a fazer na vida: "Eu o vi e o busquei. Eu o tive e o quis".

2

Nós nos esquecemos de Deus

O desejo de conhecer e amar a Deus, de se deleitar na presença dele, é central para a vida e a fé evangélicas como eu a entendo. O famoso quadrilátero de Bebbington descreve os evangélicos como aqueles que enfatizam a necessidade de conversão, uma vida de serviço em palavras bem como em ações, a autoridade das Escrituras e a morte de Cristo na cruz. Até aí, tudo bem, mas isso não vai fundo o suficiente, em minha opinião. Há algo que dá início à nossa conversão primeira e sustenta nossa conversão contínua, que estimula nossa ação, que nos impele a ler as Escrituras e obedecer a elas, que nos atrai constantemente para a cruz. Esse *algo* é o desejo de conhecer a Deus.

Pode-se ainda encontrar esse desejo em nosso movimento hoje, mas ele não é mais algo que nos *caracterize*. Um motivo pelo qual acredito que o desejo por Deus seja central para o que significa ser evangélico é o que aconteceu no nascimento de nosso movimento, quando o desejo por Deus realmente nos caracterizava.

A análise histórica que se segue é, lamentavelmente, inadequada para provar isso e o declínio subsequente de nosso desejo. Ainda assim, acredito que, em linhas gerais, seja um bom resumo do que éramos e do que somos hoje.

"A cidade parecia estar cheia da presença de Deus"

O movimento evangélico nos Estados Unidos brotou nas décadas de 1730 e 1740, quando George Whitefield e John Wesley começaram a pregação sobre a necessidade de nascer de novo. Essa pregação reviveu uma parte agonizante da igreja de Jesus, que reanimou as pessoas para que pudessem desfrutar de um relacionamento vital, vívido e amoroso com nosso Salvador. O movimento, conhecido como o Grande Despertamento, floresceu com a disseminação da mensagem e experiência de nascer de novo, mas muitas vezes dolorosamente, já que o corpo maior de Cristo resistiu ao movimento. Nada, porém, conseguiu deter o que estava acontecendo. Em pouco tempo, formou-se um movimento de homens e mulheres, rapazes e moças, que — como se dizia — haviam sido limpos do pecado pelo sangue do Cordeiro. Eles gritavam de alegria por estarem vivos — realmente vivos — pela primeira vez. E louvavam nosso Salvador e o amavam mais do que tudo, mais do que a própria vida.

O teólogo Jonathan Edwards envidou seus melhores esforços para descrever o que via acontecer a seu redor:

> Essa obra de Deus, enquanto se operou e o número de santos verdadeiros se multiplicou, logo provocou uma gloriosa alteração na cidade, de modo que, na primavera e no verão seguintes, no ano de 1735, a cidade parecia estar cheia da presença de Deus: nunca esteve tão cheia de amor, nem de alegria, e, ao mesmo tempo, tão cheia de angústia, como então. Havia sinais notáveis da presença de Deus em quase todas as casas. Era um tempo de alegria nas famílias pelo fato de a salvação lhes ter sido trazida; pais se regozijavam pelo novo nascimento dos filhos, e maridos pelas esposas, e esposas pelos maridos. As ações de Deus eram então vistas em seu santuário, os domingos eram deliciosos, e seus tabernáculos eram cativantes [...].
>
> Em toda a vida social, nos outros dias, em qualquer ocasião em que as pessoas se encontrassem, Cristo era ouvido e visto no meio delas. Nossos jovens, quando se reuniam, costumavam

38 QUANDO FOI QUE COMEÇAMOS A NOS ESQUECER DE DEUS?

passar o tempo conversando sobre a excelência e o amor sacrificial de Jesus Cristo, a glória do caminho da salvação, a maravilhosa, livre e soberana graça de Deus, sua obra gloriosa na conversão de uma alma, a verdade e certeza das grandes coisas da palavra de Deus, a doçura das visões de sua perfeição.[1]

A fé evangélica logo passou a se caracterizar por um relacionamento vivo e pessoal com Deus, fundamentado na morte e ressurreição de Jesus Cristo, com uma confiança profunda e permanente na Bíblia como a Palavra pessoal de Deus para nós, e com um desejo ativo de propagar seu evangelho aos outros. Essas ênfases — especialmente o relacionamento vivo e pessoal com Deus — podem ser vistas em muitas épocas da história da igreja, e nesse sentido a religião evangélica remonta ao início da fé cristã. Mas sua forma moderna, nos Estados Unidos, tem origens aqui, em um período em que cidades inteiras "pareciam estar cheias da presença de Deus".

Depois da Guerra Revolucionária, enquanto a nação, exausta, se deslocava para o oeste no final do século 18, o "entusiasmo" — *en theos*, o desejo de estar em Deus e conhecer Deus dentro de nós — foi substituído por outras preocupações. Em uma viagem ao Tennessee em 1797, o bispo metodista Francis Asbury observou: "Quando penso que nem mesmo uma em centenas de pessoas veio aqui para obter religião, mas, isto sim, para obter grandes extensões de terra, acho que já estará bom se alguns ou muitos não acabarem perdendo sua alma". Andrew Fulton, um missionário presbiteriano da Escócia, comentou, angustiado, que em "todas as cidades recém-formadas nesta colônia do oeste [perto de Nashville, Tennessee], há poucas pessoas religiosas". Outros se preocupavam com o fato de muitos cristãos terem se tornado universalistas e deístas, sendo que os últimos afirmavam, com destaque especial, a distância de Deus em relação a este mundo.

Apesar disso, havia alguns que, ao primeiro sinal de um espírito debilitado, oravam a Deus para que se manifestasse novamente. Oravam em casa, nas igrejas, nos encontros religiosos e em retiros que culminavam com o compartilhar da Ceia do Senhor. E suas orações foram atendidas em Cane Ridge, Kentucky, em 1801, quando cerca de vinte mil pessoas compareceram para serem tocadas pelo Espírito de Deus.

Seu entusiasmo por Deus se disseminou no que agora é conhecido como o Segundo Grande Despertamento. Acabou encontrando expressão em pastores itinerantes e encontros metodistas em acampamentos e encontros periódicos de avivamento em igrejas locais. Um observador em um pequeno avivamento anterior ao de Cane Ridge descreveu o que aconteceria a tantos nos anos que se seguiriam: "Ninguém parecia desejar ir para casa; fome e sono não pareciam afetar ninguém; as coisas eternas eram a maior preocupação".[2]

Do sublime à técnica

Os historiadores observaram que esses avivamentos foram, de certa maneira, uma reação contra a racionalidade do Iluminismo, que muitas vezes alistava a razão e a ciência para questionar e marginalizar a religião. A reação mais forte — o Romantismo — abrangeu as artes, literatura, música e filosofia, que, juntas, exaltaram o papel da intuição e emoção nos assuntos humanos. Muitos cristãos expressaram desdém pelos valores do Iluminismo louvando os avivamentos e percebendo que eles não poderiam ser explicados racionalmente, mas apenas espiritualmente como produtos da intervenção divina.

40 QUANDO FOI QUE COMEÇAMOS A NOS ESQUECER DE DEUS?

Porém alguns cristãos, já profundamente influenciados pelo Iluminismo, olhavam para esses avivamentos racionalmente e notavam padrões sociológicos. E começaram a aplicá-los em seu ministério. O mais famoso deles é Charles Finney. Em suas *Conferências sobre avivamentos da religião*, ele afirmou que um avivamento não era "um milagre, ou dependente de um milagre, em nenhum sentido. É um resultado puramente filosófico [no sentido de científico] do uso correto dos meios estabelecidos".[3] Sem dúvida, ele acreditava que Deus fornecia esses meios de produzir avivamentos, mas, como comenta Tim Keller, "Finney insistia em que qualquer grupo era capaz de ter um avivamento em qualquer momento ou local, desde que aplicasse os métodos corretos do modo correto".[4]

Essa filosofia do avivamento foi distorcida em uma religião de crise, uma religião de decisão e uma religião em que a manipulação da emoção se tornou o ponto central. Em vez de se caracterizar por um encontro genuíno com o Deus vivo, o movimento foi infectado por muitos que buscavam não tanto conhecer e amar a Deus quanto ter uma experiência religiosa extraordinária. Esse tem sido o nosso calcanhar de Aquiles desde então.

Alguns perceberam essa corrupção já no início e reagiram contra ela. Um dos motivos: por mais que tentassem, esse êxtase religioso genuíno nunca lhes acontecia. Uma dessas pessoas, Phoebe Palmer, depois de uma crise de fé, decidiu que "não precisava de uma 'emoção arrebatadora' para acreditar; a própria crença era base de confiança. Lendo as palavras de Jesus de que 'o altar santifica a oferta', ela acreditou que Deus a tornaria santa se ela 'entregasse tudo no altar'". Palmer ajustou os ensinamentos de John Wesley sobre o perfeccionismo transformando-o "em um processo em três passos:

NÓS NOS ESQUECEMOS DE DEUS   **41**

consagrar-se totalmente a Deus, acreditar que Deus santificará o que for consagrado e relatar aos outros a respeito disso".[5]

Esses ensinamentos deram origem ao movimento de santidade, centrado na santificação completa. A vida de fé tornou-se não tanto o anseio por Deus, mas o anseio pela perfeição moral; não tanto a busca da graça como forçar a vontade ao controle. Não há dúvida de que havia uma necessidade de contar com a força do Espírito, e muitos buscavam com empenho a santidade para poder ver a Deus: o movimento de santidade produziu uma boa quantidade de santos protestantes. Mas muitos deles também degeneraram, previsivelmente, incorrendo em narcisismo religioso. Para muitos, tratava-se cada vez mais de buscar a santidade pessoal, e não de buscar o Santíssimo.

Essa paixão pela reforma pessoal logo transbordou para o reino social, de tal modo que os crentes evangélicos também ficaram conhecidos por lutar pela reforma da sociedade — desde reformas prisionais até a abstinência, a abolição da escravidão e a assistência aos pobres urbanos. E, para alguns, isso desembocou no movimento do evangelho social, cujas origens no evangelho e motivações devotas não podem ser negadas.

Walter Rauschenbusch, em *Uma teologia para o evangelho social*, afirmou: "O que há de novo no evangelho social é a clareza e insistência com que ele estabelece a necessidade e a possibilidade de redimir a vida histórica da humanidade das injustiças sociais que agora a permeiam".[6] Embora os evangélicos hoje rejeitem o liberalismo teológico de Rauschenbusch, sua ênfase sobre a missão da igreja entrelaçou-se ao tecido da religião evangélica. A missão, e todas as atividades que a cercam, tornou-se a própria razão para a existência da igreja. Falaremos mais sobre isso nos próximos capítulos.

É preciso que se diga que esse tipo de atividade por Deus é louvável. Um dos trabalhos da igreja é, realmente, amar o mundo. Mas quando a missão se torna o ponto focal da vida cristã, acredito que a vida irá inevitavelmente degenerar em uma vida religiosa ativa e ocupada, vazia de Deus. Uma vida fascinada pela técnica e o método, já que busca realizar sua missão com eficiência. Podemos começar e terminar nossos encontros missionais com uma oração, mas sabemos, lá no fundo, que não precisamos da bênção especial de Deus se, como Finney argumentou, já temos os meios à nossa disposição para realizar nossos fins.

De Deus à experiência espiritual

Em meio a esse impulso em direção à ação, surgiu outro movimento, um tipo de novo romantismo espiritual que tentou controlar nosso fascínio pelo horizontal e encaminhar-nos de volta ao vertical. O movimento pentecostal irrompeu em cena na virada do século 20, a começar com o avivamento na rua Azusa, em Los Angeles, que pode ser caracterizado, assim como outras manifestações, da seguinte forma:

> Não havia hinos, nem liturgia, nem roteiros de culto. Em geral, não havia instrumentos musicais. Mas, ao redor da sala, os homens pulavam e gritavam. As mulheres dançavam e cantavam. As pessoas cantavam, às vezes conjuntamente, mas com sílabas, ritmos e melodias completamente diferentes. Outras vezes a igreja se unia cantando versões inglesas de "The Comforter Has Come" [Veio o Consolador], "Fill Me Now" [Enche-me agora], "Joy Unspeakable" [Alegria indizível] e "Love Lifted Me" [O amor me levantou].[7]

NÓS NOS ESQUECEMOS DE DEUS   **43**

Mais do que tudo, as pessoas experimentavam uma sensação imediata de serem preenchidas pelo Espírito Santo, que se manifestava especialmente pelo dom de línguas. Embora questionado pelas igrejas históricas, céticas, uma versão mais leve desse avivamento — o cristianismo carismático — acabou chegando aos bancos das igrejas no início de abril de 1960, quando Dennis Bennett, pastor da Igreja Episcopal de São Marcos, em Van Nuys, Califórnia, anunciou à sua congregação que havia experimentado o dom de línguas.[8]

Da mesma forma como ocorreu com muitos movimentos de avivamento, surgiram controvérsias quando as pessoas foram tocadas pelo Espírito Santo, com acusações de extremismo, por um lado, e divisão doutrinária, por outro. Mas, de modo geral, os homens e mulheres influenciados por esses movimentos desfrutaram da presença imediata de Deus, que veio a eles por meio do Espírito Santo. E, assim, as pessoas iam a esses encontros em grande número, porque ansiavam por Deus.

Com esse anseio, porém, vem uma tentação sutil, mas real: o anseio por Deus pode se transformar em desejo por certo tipo de experiência espiritual. Em vez de Deus, as pessoas começam a querer experimentar os dons extraordinários de Deus — e os líderes às vezes manipulam as congregações nesse sentido. Para muitos pentecostais, as línguas se tornaram não tanto um meio de conversar com o Deus vivo, mas sobretudo um sinal ou prova da condição espiritual de alguém — ou seja, "evidência de que se recebeu o batismo [do Espírito Santo]".[9]

A intenção aqui não é jogar pedras. Acreditem: como alguém que foi abençoado com alguns dos mais carismáticos dons espirituais, eu também ansiei por mais e mais experiências espirituais por elas próprias — e, verdade seja dita, desejei essas experiências mais do que a Deus. A maioria das pessoas

44 QUANDO FOI QUE COMEÇAMOS A NOS ESQUECER DE DEUS?

que experimentaram dons assim extraordinários conhece a tentação que há neles.

Da santidade à transformação

A transformação se tornou um assunto popular nas igrejas evangélicas. Poucos anos atrás, uma igreja que eu frequentava me perguntou se eu aceitaria ficar diante da congregação ao lado de outros, cada um segurando um cartaz dizendo "Transformado". Deveríamos então fazer um resumo de uma ou duas frases sobre como Deus havia transformado algum aspecto de nossa vida. Na época eu me recusei, porque achava exibicionista ficar diante dos outros alegando ter sido transformado. Achei que, se houvesse sido transformado de algum modo, os outros notariam, e se não notassem, eu não queria ficar me gabando disso!

Uns poucos anos depois, descobri o que me incomodara. Vejo como a ideia de *transformação* se disseminou cada vez mais nas igrejas evangélicas. Como escrevi há uma década: "Transformação é o mantra evangélico de nossos tempos. Todo mundo espera por isso ou promete isso. Transformação de si mesmo. Transformação da igreja. Transformação da cultura".[10]

Uma vez mais, não há como não se impressionar com o esforço dos evangélicos de esquerda, direita e centro para transformar tudo, desde a si mesmos até a cultura. Melhor assim do que ficarmos sentados em nossas poltronas lendo livros sobre evangélicos que se esqueceram de Deus! Mas, como acontece com qualquer outra coisa em que tocamos, somos terrivelmente tentados não só a nos concentrar no horizontal, mas também a usar o vertical para realizar o horizontal, isto é, temos uma tendência a pensar que o que fazemos em nossa vida e em nosso mundo é mais importante do que conhecer a Deus.

Vi essa tentação se expressar sutil, mas claramente, sempre que sugeri que a transformação talvez não fosse tudo o que se apregoa. O progresso, afinal, pode ser tão lento e hesitante que um grande santo como o apóstolo Paulo, que escreveu: "esquecendo-me do passado e olhando para o que está adiante, prossigo para o final da corrida, a fim de receber o prêmio celestial para o qual Deus nos chama em Cristo Jesus" (Fp 3.13-14), ainda chama a si mesmo, ao final da vida, de "o pior" dos pecadores (ver 1Tm 1.15). Ao que a resposta muitas vezes é: "Para que ser cristão se no fim isso não faz diferença?". Quando escuto isso, sou levado a pensar que essa pessoa talvez seja cristã principalmente porque está cansada de ser quem é, entediada com o próprio ser, a personalidade que a acompanhou por toda a vida, e agora, acima de tudo, deseja mudar. E assim ela vem a Deus, acreditando que ele possa mudar aqueles aspectos dela mesma que ela acha desagradáveis.

Percebem o que está acontecendo aqui? Em nosso desejo por transformação, Deus é um meio para um fim. Isso não é amor a Deus. É amor a si mesmo.

Tenho a impressão de que grande parte da conversa sobre transformação no evangelicalismo está mais interessada em transformação do que em Deus, ou interessada em Deus sobretudo pelo que ele pode fazer para mudar a vida de pessoas, famílias e comunidades.

Escutamos esse mesmo tipo de conexão nos círculos de justiça social. Buscar justiça para os ainda não nascidos, imigrantes ou vítimas de preconceito racial, e assim por diante — é um trabalho extenuante. Admirável, mas extenuante. E dentro de poucos anos, senão de poucos meses, a maioria dos cristãos que se dedica a tal trabalho descobre que precisa passar mais tempo na Bíblia e na oração, e geralmente expressa isso assim: "Não serei capaz de manter um compromisso com a justiça se não praticar regularmente a oração e a meditação bíblica". Nada poderia ser mais verdadeiro. Mas será que conseguimos ver o que aconteceu? Deus se torna um meio para o fim daqueles que trabalham para a justiça: a perseverança no trabalho.

Uma tentação mais insidiosa envolvendo a transformação na justiça social é a teoria crítica, em que dinâmicas de poder estão à frente e no centro, especialmente nas relações de raça e gênero. Assim como nos primórdios do marxismo toda situação social era analisada em termos de classe, hoje (dependendo do assunto) tudo é analisado em termos de dinâmicas de raça ou gênero. É um jeito puramente horizontal de tentar compreender uma situação social, com pouca ou nenhuma referência a fatores verticais, como a providência de Deus ou o sofrimento redentor em Cristo ou uma dúzia de outras visões teológicas que podem se aplicar à injustiça social.

Na outra extremidade do espectro político, temos o surgimento desagradável de devotos aparentemente evangélicos defendendo ou simplesmente ignorando o comportamento e o discurso abertamente imorais de um chefe de Estado. Donald Trump foi, claramente, o presidente mais imoral na história dos Estados Unidos, mas há alguns evangélicos que fingem que isso não é importante. Por quê?

Porque eles têm medo de que, simplesmente reconhecendo isso, quanto mais falando abertamente contra o comportamento do ex-presidente, possam ter seu poder minado. E por que isso é um problema? Porque a devoção ao horizontal — a saúde da nação como eles a veem — os cegou para as obrigações devidas a Deus, sendo uma delas denunciar o

NÓS NOS ESQUECEMOS DE DEUS 47

mau comportamento de nossos líderes (como fez João Batista contra o "presidente" de seu tempo, à custa de sua vida; ver Mt 14.1-12). Não estou falando dos evangélicos que votaram no Sr. Trump "tapando o nariz", que prontamente reconhecem suas imoralidades incessantes, mas o encaravam como uma opção melhor, dadas as escolhas. Há um grupo inteiro de pessoas que se identificam como evangélicas que, aparentemente, venderam a alma com uma finalidade política em nome da transformação da nação.

Outra área em que a transformação fugiu ao controle foi a megaigreja. A ideia da megaigreja não chega a ser um problema em si mesma: sempre houve grandes igrejas na história do cristianismo. Mas vivemos em um tempo impaciente, em que procuramos menos pastores que possam pregar fielmente a Palavra e mais empresários que possam plantar e edificar igrejas. Afinal, se nosso objetivo é transformar o mundo, é preciso primeiro transformar nossa comunidade, e isso começa por plantar ou transformar sua igreja em algo que possa influenciar positivamente o mundo.

Deixamos de levar em conta o custo de todo esse empreendimento, e o custo se vê na ambição de muitos pastores de megaigrejas, ambição que frequentemente se manifesta em abusos de poder, manipulação dos fundos da igreja e isolamento que favorece relações extraconjugais, alcoolismo e depressão. Na *Christianity Today*, relatamos demasiadas situações desse tipo, e surgem mais e mais a cada mês. Parte delas se origina da fraqueza da natureza humana, mas muitas delas estão relacionadas à nossa paixão pela transformação da igreja e da comunidade acima de tudo o mais e o que isso exige de um pastor moderno.

É claro que devemos ser gratos por nossa paixão pela transformação em todas as esferas da vida. Os cristãos cujo coração

48 QUANDO FOI QUE COMEÇAMOS A NOS ESQUECER DE DEUS?

não se parte diante da iniquidade da vida, das necessidades espirituais de suas comunidades ou das injustiças que infectam toda a sociedade — bem, é difícil de acreditar que eles realmente amem o Deus da Bíblia. Mas o inimigo tem o dom de perverter nossas boas paixões de modo que, lentamente, nos esquecemos de Deus enquanto procuramos realizá-las.

A essência do problema

A experiência de um amigo deixa clara a natureza essencial de nossa fé hoje e a tendência a nos esquecermos de Deus.

Esse amigo estava se esforçando para tornar Deus seu objetivo e finalidade última, alguém por quem se anseia como a corça pela água. Então começou a se dedicar à oração durante certas horas do dia, principalmente pela manhã e antes de ir dormir, e, quando possível, uma ou duas vezes em meio aos dias de trabalho. O momento da oração incluía os Salmos e outras passagens das Escrituras, assim como meditação em silêncio sobre a Palavra. Tudo isso não durava mais do que dez a quinze minutos, mas ele descobriu que era uma prática de que gostava, não no sentido de cumprir uma tarefa programada, mas no sentido de que, lenta mas firmemente, ele estava vendo o amor por Deus crescer.

O coração, no entanto, permanecia confuso. Um dia, recentemente, saiu do trabalho mais cedo para cumprir algumas tarefas e jogar golfe. No caminho para casa, decidiu que iria se dedicar à oração antes de trocar de roupa e sair para realizar aquelas tarefas e jogar. Viu-se no carro trinta minutos depois, tendo se esquecido completamente da intenção de orar.

Ele se perguntou por que estava tão decidido a realizar aquelas tarefas a ponto de elas lhe ocuparem a mente de modo

NÓS NOS ESQUECEMOS DE DEUS **49**

tão intenso. O que havia naquela atividade de lazer que se apoderava com tanta força de sua imaginação que ele não conseguia se esquecer de fazê-la, enquanto era tão fácil se esquecer de orar?

E por que, perguntava-se também, notava dentro de si em várias manhãs uma relutância em se sentar para orar, principalmente quando havia muitos itens a cumprir na lista de afazeres? Por que não considerava a oração uma daquelas tarefas que era absolutamente necessário cumprir, e por que não se sentia ansioso por isso se, na verdade, Deus é a fonte de toda vida e alegria, e a mais profunda satisfação do mais profundo de nossos desejos? Se ele amava e desejava a Deus, como dizia que era sua intenção, por que os amores e desejos de tantas outras coisas moldavam seu dia e seu coração?

Ele concluiu: "No fim das contas, sou um ateu prático. Aprendi a viver, durante a maior parte de minha vida, como se Deus fosse um belo complemento — quando tenho tempo e quando realmente o desejo —, mas, em outros momentos, contento-me em viver como se ele não fosse uma presença viva".

Como comentei na introdução, identifico-me profundamente com o dilema de meu amigo.[11] E, conversando com vários amigos, eu diria que não estamos sozinhos. Assim, não é bem verdade que nos esquecemos completamente de Deus. Mas nosso Alzheimer espiritual evoluiu para níveis perigosos.

Isso é muito comum na condição humana. Não é terrivelmente mau que sejamos tão distraídos pela vida e pelas responsabilidades e desejos terrenos que Deus acabe ficando em segundo plano. Não precisamos nos atormentar de culpa por causa disso. Este capítulo e o livro não são uma condenação avassaladora, mas um alerta de que há algo melhor nos esperando.

Acho que cabe especialmente aos cristãos evangélicos tratar essa situação com especial seriedade. Nós nos orgulhamos, com razão, de praticar uma forma de fé que enfatiza a relação pessoal com Jesus. Pode-se argumentar, como fiz neste capítulo, que isso está no cerne do que significa ser evangélico: conhecer, amar e obedecer a Jesus como se ele fosse um amigo que "caminha e conversa conosco pelo caminho estreito da vida", como diz o antigo hino. Caso o cristianismo evangélico mostre vitalidade para sobreviver e prosperar nas próximas décadas, acredito que o movimento do "nascer de novo" deve nascer de novo e *de novo* e transformar-se em um relacionamento vivo, vital e pessoal com Deus, um relacionamento que nos inunde coração e mente como fez com os salmistas e vários outros na Bíblia e em nossa história.

A jornada de retorno a Deus, por assim dizer, começa dentro da igreja. Tão crucial é a igreja que a próxima seção inteira é devotada a como pensamos sobre a igreja e como vivemos na igreja. Nosso foco inflexivelmente horizontal penetrou na vida cotidiana da igreja, do culto à pregação e aos pequenos grupos. Mas, antes de entrarmos nesse assunto, começarei sugerindo que o modo como pensamos sobre a igreja precisa se basear em um caminho completamente diferente.

PARTE II

A igreja

3

Repensando a igreja:
o problema da mentalidade missional

Não há melhor lugar para começar a pensar mais a fundo sobre como o horizontal ofuscou o vertical — e como podemos reimaginar o vertical — do que pensar sobre a igreja. Assim, nesta parte do livro eu gostaria de abordar nossa teologia da igreja, e também como os diversos aspectos da vida da igreja podem apoiar de forma mais eficaz o vertical.

A fé evangélica frequentemente é criticada por não ter eclesiologia — ou seja, não ter uma doutrina da igreja. Gostaria de discordar e, em vez disso, dizer que ela possui uma doutrina da igreja inadequada e truncada. Acredito que essa seja uma das razões pelas quais o movimento está em crise.

Alguns anos atrás, eu estava entrevistando Rob Bell para a *Christianity Today* sobre seu livro *Jesus quer salvar os cristãos*. Ele havia escrito algo no livro que me surpreendera, por isso lhe pedi que esclarecesse:

— Qual é, para você, o propósito da igreja?

— O propósito da igreja — respondeu ele — é tornar o mundo um lugar melhor.

Era isso o que ele havia escrito no livro, e havia sido essa declaração que me intrigara. Para ser franco, eu não acreditava que ele tinha dito isso diante de Deus e de todo mundo. Mas, refletindo mais profundamente, entendi que Bell havia expressado precisamente o *zeitgeist* atual da igreja nos

54 QUANDO FOI QUE COMEÇAMOS A NOS ESQUECER DE DEUS?

Estados Unidos. Eu estava menos preocupado com Bell do que com a igreja.

Vou fazer um breve histórico para explicar o que me preocupava.

Do evangelho social ao missional

Desde meados da década de 1960 até 1989, fui membro e depois pastor da agora chamada Igreja Presbiteriana (EUA), a igreja presbiteriana de linha principal.* Durante os quatorze anos seguintes, fui membro da Igreja Episcopal. Por mais de quatro décadas, fiz parte do cristianismo de linha principal/ liberal. E a maior parte dessa tradição supõe que o propósito da igreja é tornar o mundo um lugar melhor. Essa visão não é compartilhada por todos, em todos os lugares da linha principal, nem é sempre enunciada exatamente dessa forma. Mas é, claramente, um pressuposto amplamente disseminado.

Esse propósito surgiu no final do século 19 e início do século 20. Foi expresso da maneira mais convincente pelo teólogo e ativista batista Walter Rauschenbusch no já citado *Uma teologia para o evangelho social*. Nesse livro, Rauschenbusch escreve: "O que há de novo no evangelho social é a clareza e insistência com que estabelece a necessidade e a possibilidade de redimir a vida histórica da humanidade das injustiças sociais que agora a permeiam".[1]

Rauschenbusch foi levado a essa conclusão por sua concep-

---

* Em inglês, *mainline*. Nos Estados Unidos, a expressão *mainline churches* refere-se, em geral, às igrejas protestantes históricas — luteranos, episcopais, presbiterianos, metodistas, batistas do norte, entre outros — com tendências mais ecumênicas e progressistas, em contraponto às igrejas evangélicas e pentecostais, de linha mais conservadora. (N. do E.)

ção do reino de Deus. Embora reconhecendo a necessidade da salvação individual, ele estava preocupado principalmente com a salvação social — daí a ideia de evangelho *social*. "Para aqueles cuja mente vive no evangelho social", escreveu ele, "o reino de Deus é uma estimada verdade, a medula do evangelho, assim como a encarnação era para Atanásio, a justificação apenas pela fé para Lutero, e a soberania de Deus para Jonathan Edwards".[2]

Em consequência, escreve ele depois, "como o reino é o fim supremo de Deus, deve ser o propósito pelo qual a igreja existe [...]. As instituições da igreja, suas atividades, culto e teologia devem ser, em longo prazo, testadas por sua eficácia em criar o reino de Deus".[3]

Rauschenbusch acreditava que o reino de Deus / evangelho social era o conceito que poderia revigorar uma igreja morta: "Se o reino houvesse sido mantido como o propósito pelo qual a igreja existe, a igreja não poderia ter caído em tal corrupção e indolência".[4] Além disso, sustentava que esse conceito eleva a igreja: "Dentro da área que escolheu cultivar, a igreja local, sob boa liderança, é realmente uma força da salvação".[5] Mas, receando que a igreja se levasse demasiadamente a sério, também observou: "O reino de Deus não está confinado aos limites da igreja e suas atividades. Ele abarca toda a vida humana. É a transfiguração cristã da ordem social. A igreja é uma instituição social, ao lado da família, da organização industrial da sociedade e do estado".[6]

Em outras palavras, o propósito da igreja — como o de todas as outras instituições sociais — é tornar o mundo um lugar melhor. Ou, dizendo de outra forma, a igreja existe para o bem do mundo.

A teologia de Rauschenbusch, assim como todo o projeto liberal otimista, foi aparentemente desacreditada pelos

56 QUANDO FOI QUE COMEÇAMOS A NOS ESQUECER DE DEUS?

desastres chamados Primeira Guerra Mundial e Segunda Guerra Mundial, além das críticas incisivas e ousadas dos teólogos neo-ortodoxos. Entretanto, em tempos mais recentes estão voltando à cena. Esse retorno pode ter começado, ironicamente, com o neo-ortodoxo Emil Brunner, que, em *The Word and the World* [A Palavra e o mundo], declarou: "A igreja existe pela missão, assim como o fogo existe pela combustão".[7] Em outras palavras, o próprio sangue vital da igreja é seu trabalho no mundo.

No final do último século, o grande líder da igreja e teólogo Lesslie Newbigin deu novo vigor ao propósito missionário da igreja. Newbigin exerceu uma influência profunda sobre o evangelicalismo contemporâneo, e seu pensamento é complexo e cuidadoso. Mas o resumo de Newbigin feito pelo missiólogo Wilbert Shenk foi o que vários de seus leitores absorveram:

> Estamos sendo chamados a reivindicar de novo a igreja para seu propósito missionário [...]. A missão frequentemente é tratada como uma enteada ou, pior ainda, em alguns casos, uma órfã. Isso significa que a eclesiologia tradicional não está reservando lugar para a missão. Não obstante, a igreja foi instituída por Jesus Cristo para ser um sinal do reinado de Deus e os meios de dar testemunho desse reinado pelo mundo todo. A igreja que se recusa a aceitar o propósito missionário é uma igreja deformada [...]. Estamos sendo chamados a reivindicar de novo a igreja para seu propósito missionário em relação à moderna cultura ocidental.[8]

Como comentei, a teologia de Newbigin é mais ampla do que isso, mas foi isso o que causou um grande impacto sobre os líderes evangélicos. Talvez o mais importante exemplo seja o que é chamado de movimento missional. Como acontece com

REPENSANDO A IGREJA: O PROBLEMA DA MENTALIDADE MISSIONAL   **57**

a maioria dos movimentos, o próprio termo está em disputa e aparece em diversos matizes. Muitas vezes se combina com uma nova avaliação da teologia do reino, uma tentativa de fazer com que a pregação de Jesus sobre o reino de Deus se torne o eixo da roda de nossa teologia. Muitos defensores do missional o veem não como a missão *deles*, mas como a missão de Deus, à qual estão meramente se agregando. Não precisamos negar os muitos tipos de defensores do missional, ou suas óbvias forças, para compreender que, para vários pastores e teólogos, o propósito da igreja pode ser resumido assim (do *blog* de uma igreja com que deparei):

> Depois que Jesus ressuscitou e depois que passou um tempo significativo instruindo a igreja nascente, assim como ele próprio havia sido enviado ele enviou sua igreja em uma missão, e enviou o Espírito Santo para lhe dar força para essa tarefa até o fim dos tempos, até os confins da terra. Assim como Jesus foi enviado, e como o Espírito Santo foi enviado, da mesma forma a igreja foi enviada. Portanto, a igreja existe missionalmente, enviada pelo Deus trino para executar a missão de fazer discípulos de todas as nações. Onde quer que exista a igreja, existe para o bem do mundo, como um sinal e proclamação do reino de Deus.[9]

A defesa mais incisiva e completa da igreja missional é o livro de Christopher Wright, *A missão de Deus: Desvendando a grande narrativa da Bíblia*. É um grande livro, com uma base teológica profunda e matizada. É amplamente lido e citado na comunidade missional, e por boas razões. Hesito em criticá-lo porque contém muitos pensamentos valiosos sobre os quais podemos refletir. Mas o entendimento fundamental de Wright sobre a Bíblia é, em minha opinião, problemático. Para ele, "a missão é a essência da Bíblia",[10] e anteriormente no livro

58 QUANDO FOI QUE COMEÇAMOS A NOS ESQUECER DE DEUS?

Wright define o que é missão: "Usarei o termo *missão* em seu sentido geral de propósito ou meta de longo prazo que deve ser atingido por meio de objetivos imediatos e ações planejadas".[11]

Como espero mostrar nos capítulos que se seguem, acredito que a essência da Bíblia é *Deus*. Wright escreveu alguns belos capítulos sobre o Deus que se fez conhecer a Israel e depois ao mundo em Jesus Cristo. Parece-me, contudo, que a Bíblia é essencialmente a respeito de Deus em primeiro lugar e acima de tudo, e que fazer dele conhecido é crucial, mas, na verdade, secundário. O principal problema teológico em imaginar que Deus tenha uma missão para se tornar conhecido é que, depois de alcançar seu "propósito ou meta de longo prazo que deve ser atingido por meio de objetivos imediatos" (o reino dos céus), Deus não terá mais nada a fazer, ou terá de mudar de natureza e propósito. A visão da "missão de Deus" nos leva à tentação de criar um deus à nossa imagem, alguém que trabalha incansavelmente para alcançar algum fim, alguém que alimenta nosso vício em atividades.

Não tenho nada contra atividade ou missão — não se pode ser a igreja de Jesus Cristo e não buscar amar o próximo de todas as maneiras. Mas, apesar de todo o valor em termos de inspiração — e isso não deve ser negado ou minimizado —, no fim das contas o pensamento missional tende a reduzir o propósito da igreja da mesma forma que Rauschenbusch faz: "Onde quer que exista a igreja, existe para o bem do mundo".

O leitor atento terá suspeitado qual é meu objetivo em mencionar tudo isso: acho que essa visão é errada, e errada em dois pontos. Acredito que seja uma visão não bíblica da igreja. E acredito que seja uma dieta nada saudável para a igreja. Por quê? Em última análise, porque apenas encoraja nosso vício na atividade e torna ainda mais difícil para nós desejar buscar a Deus.

4

Repensando a igreja:
panorama bíblico

Para entender o primeiro ponto — o de que nossa visão da igreja é não bíblica —, começo pela carta de Paulo aos Efésios. Admito que o que se segue não é uma eclesiologia formal, o que exigiria uma discussão de livro inteiro e uma boa dose de interação com outros teólogos. Em vez disso, trata-se de um chamado para que pensemos novamente sobre como vemos a igreja.

Embora Efésios não seja uma teologia sistemática da igreja, é onde Paulo descreve mais profunda e coerentemente a teologia da igreja. Paulo inicia a carta praticamente sem nenhuma preparação. Já começa descrevendo uma visão estonteante da história, em que o papel da igreja é central:

> Todo louvor seja a Deus, o Pai de nosso Senhor Jesus Cristo, que nos abençoou em Cristo com todas as bênçãos espirituais nos domínios celestiais. Mesmo antes de criar o mundo, Deus nos amou e nos escolheu em Cristo para sermos santos e sem culpa diante dele. Ele nos predestinou para si, para nos adotar como filhos por meio de Jesus Cristo, conforme o bom propósito de sua vontade. Deus assim o fez para o louvor de sua graça gloriosa, que ele derramou sobre nós em seu Filho amado. Ele é tão rico em graça que comprou nossa liberdade com o sangue de seu Filho e perdoou nossos pecados. Generosamente, derramou sua graça sobre nós e, com ela, toda sabedoria e todo entendimento.

60 QUANDO FOI QUE COMEÇAMOS A NOS ESQUECER DE DEUS?

> Agora Deus nos revelou sua vontade secreta a respeito de Cristo, isto é, o cumprimento de seu bom propósito. E o plano é este: no devido tempo, ele reunirá sob a autoridade de Cristo tudo que existe nos céus e na terra.
>
> Efésios 1.3-10

O ponto mais importante a observar é o entendimento de Paulo sobre a mente de Deus antes da criação do mundo: "Mesmo antes de criar o mundo", ele diz, o propósito primeiro e principal de Deus era criar para si um povo, que viveria com ele, sendo todos "santos e sem culpa diante dele". Antes e acima de tudo o mais, ele pensou no povo que iria adotar como família, que seriam irmãos e irmãs de Jesus, seu Filho.

Ele fez isso não por algum motivo velado, para que essa família pudesse depois fazer algo ainda mais importante. Fez isso "conforme o bom propósito de sua vontade" e "para o louvor de sua graça gloriosa", isto é, por causa do simples esplendor do ato. Parece que, para Paulo, a família de Deus — a igreja — não é um meio, mas um fim.

A igreja é, na verdade, o sinal e presságio da vontade universal de Deus, que é "um plano pelo qual, no devido tempo, ele reunirá sob a autoridade de Cristo tudo que existe nos céus e na terra". O desejo de Deus é trazer tudo para sua órbita de amor. O plano parece ser esse: em todos os lugares, até onde a vista alcança, existirá a família de Deus — a igreja — vivendo diante do Pai em santo amor.

Paulo continua:

> Além disso, em Cristo nós nos tornamos herdeiros de Deus, pois ele nos predestinou conforme seu plano e faz que tudo ocorra de acordo com sua vontade. O propósito de Deus era que nós, os

primeiros a confiar em Cristo, louvássemos a Deus e lhe déssemos glória.

Efésios 1.11-12

Notem como Paulo fala sobre o que fazemos pelo fato de termos sido chamados à igreja. Em vista de nosso interesse pelo que é missional, poderíamos esperar ler: "O propósito de Deus era que nós, os primeiros a confiar em Cristo, pudéssemos compartilhar essa confiança com aqueles que não a conhecem".

Ou "nós, os primeiros a confiar em Cristo, pudéssemos expandir o reino de Deus pelo mundo".

Ou "nós, os primeiros a confiar em Cristo, pudéssemos tornar o mundo um lugar melhor e promover a prosperidade humana".

Não. A visão de Paulo da igreja não é nem um pouco instrumentalista. Ao contrário, ele diz que, como fomos reunidos na igreja, nós que fomos os primeiros a confiar em Cristo deveríamos louvar a glória de Deus.

A questão é esta: a igreja é seu próprio fim. Foi criada para o prazer de Deus e de nós mesmos. Em resultado de sermos chamados à família intitulada igreja, nossa tarefa é desfrutarmos de sua pura bondade vivendo juntos em amor santo e louvando juntos a glória de Deus por fazer algo tão maravilhoso.

De acordo com essa passagem sintética, não parece que a igreja foi criada para o mundo. Ao contrário, o mundo foi criado para o bem da igreja. Isto é, o funil da história não é tal que a igreja se derrama no mundo para redimi-lo, mas que o mundo — pelo menos aqueles no mundo que confiam em Cristo — é derramado dentro da igreja.

Paulo não está impingindo uma ideia nova em Efésios. Sua teologia se baseia no Antigo Testamento. Lá lemos repetidas

62 QUANDO FOI QUE COMEÇAMOS A NOS ESQUECER DE DEUS?

vezes que Israel foi escolhido por Deus e estimado por Deus, criado por Deus para que ele pudesse ter um povo.

Um exemplo típico é quando o Senhor fala por meio de Isaías:

> Quanto a você, meu servo Israel,
>> Jacó, meu escolhido,
>> descendente de meu amigo Abraão,
> eu o chamei de volta dos confins da terra
> e disse: "Você é meu servo".
> Pois eu o escolhi
>> e não o lançarei fora.
>
> Isaías 41.8-9

Abraão foi chamado dos confins da terra para ser o pai do povo escolhido de Deus, mas também o povo do qual ele é pai (pela graça de Deus) se tornou um sinal do objetivo da história:

> Nos últimos dias, o monte
>> da casa do SENHOR
>> será o mais alto de todos.
> Será elevado acima de todos os outros montes,
>> e povos de todo o mundo irão até lá para adorar.
> Gente de muitas nações virá e dirá:
> "Venham, vamos subir ao monte do SENHOR,
>> à casa do Deus de Jacó.
> Ali ele nos ensinará seus caminhos,
>> e neles andaremos".
>
> Isaías 2.2-3

Em outras palavras, o mundo vai a Jerusalém. Israel não vai ao mundo em missão para transformar o mundo, mas, no fim da história, o mundo vai ao monte Sião para adorar a Deus e aprender com ele.

Essa imagem é repetida no Novo Testamento. No Apocalipse, conta-se sobre uma nova Jerusalém descendo dos céus, a respeito do que João diz:

> Não vi templo algum na cidade, pois o Senhor Deus, o Todo-poderoso, e o Cordeiro são seu templo. A cidade não precisa de sol nem de lua, pois a glória de Deus a ilumina, e o Cordeiro é sua lâmpada. As nações andarão em sua luz, e os reis, em toda a sua glória, entrarão na cidade.
>
> Apocalipse 21.22-24

Mais uma vez, a imagem é que, no fim, o mundo vai à igreja, o local onde as pessoas desfrutam da presença de Deus, onde o prazer de Deus é nosso prazer, levando-nos a irromper em louvor: "Não haverá mais maldição sobre coisa alguma, porque o trono de Deus e do Cordeiro estará ali, e seus servos o adorarão" (Ap 22.3).

Uma descrição vívida dessa adoração aparece anteriormente:

> Cada vez que os seres vivos dão glória, honra e graças ao que está sentado no trono, àquele que vive para todo o sempre, os 24 anciãos se prostram e adoram o que está sentado no trono, aquele que vive para todo o sempre. Colocam suas coroas diante do trono e dizem:
>
> "Tu és digno, ó Senhor e nosso Deus,
> de receber glória, honra e poder.
> Pois criaste todas as coisas,
> e elas existem porque as criaste segundo a tua vontade".
>
> Apocalipse 4.9-11

Minha leitura do panorama bíblico é, então, que o propósito da igreja — a família de Deus — não é tornar o mundo um

64 QUANDO FOI QUE COMEÇAMOS A NOS ESQUECER DE DEUS?

lugar melhor, mas convidar o mundo a *entrar* no melhor lugar, a igreja.

O outro lado

Admito que este ponto de vista não seja amplamente aceito entre os cristãos evangélicos. Muitos versículos nas Escrituras parecem sugerir exatamente o oposto, isto é, que a igreja não é um fim, mas um meio, que foi criada para o bem do mundo. Então precisamos analisar algumas dessas passagens também.

A expressão clássica vem de Isaías 42:

> Eu, o SENHOR, o chamei para mostrar minha justiça;
> eu o tomarei pela mão e o protegerei.
> Eu o darei a meu povo, Israel,
> como símbolo de minha aliança com eles,
> e você será luz para guiar as nações:
> abrirá os olhos dos cegos,
> libertará da prisão os cativos,
> livrará os que estão em calabouços escuros.
>
> Isaías 42.6-7

E deixe-me ser justo com minha citação da visão de Isaías, em que pessoas de todo o mundo vão a Jerusalém. Ela se encerra assim: "Pois a lei do SENHOR sairá de Sião; sua palavra virá de Jerusalém" (Is 2.3).

E temos também aquela declaração fundamental de Deus a Abraão: "Por meio de você, todas as famílias da terra serão abençoadas" (Gn 12.3).

Tais versículos são frequentemente usados para sugerir, entre outras coisas, que Israel falhou em sua missão principal — ser a luz do mundo — e que Jesus, ao final de seu ministério,

REPENSANDO A IGREJA: PANORAMA BÍBLICO **65**

assegurou que a igreja estivesse absolutamente esclarecida sobre esse propósito:

Então os onze discípulos partiram para a Galileia e foram ao monte que Jesus havia indicado. Quando o viram, o adoraram; alguns deles, porém, duvidaram.

Jesus se aproximou deles e disse: "Toda a autoridade no céu e na terra me foi dada. Portanto, vão e façam discípulos de todas as nações, batizando-os em nome do Pai, do Filho e do Espírito Santo. Ensinem esses novos discípulos a obedecerem a todas as ordens que eu lhes dei. E lembrem-se disto: estou sempre com vocês, até o fim dos tempos".

Mateus 28.16-20

O que poderia ser mais claro? Tais passagens sugerem que o propósito da igreja é ir a todas as nações, sair pelo mundo em missão, ser missional.

A meu ver, não é bem assim.

Primeiro, notem o contexto desse versículo fundamental em Gênesis. Deus diz a Abraão que sua família se tornará uma grande nação e que aqueles que abençoarem essa grande nação serão abençoados, e aqueles que amaldiçoarem essa nação serão amaldiçoados. A implicação disso é que todas as outras famílias da terra serão abençoadas se abençoarem a família de Abraão. Não se trata do propósito missionário de Abraão, mas da posição da família de Abraão aos olhos do mundo. A nação de Israel é um sinal do propósito supremo de Deus — criar para si um povo —, e aqueles que o reconhecerem e honrarem serão abençoados.

Voltaremos depois a essa passagem de Isaías, então passemos por enquanto para a comissão de Jesus aos discípulos. Observem exatamente a quem Jesus dá a orientação para fazer

66 QUANDO FOI QUE COMEÇAMOS A NOS ESQUECER DE DEUS?

discípulos de todas as nações: os onze discípulos. Aplicamos automaticamente esse versículo a todos os cristãos e à igreja em geral, igualando assim o chamamento aos discípulos originais ao nosso chamamento. Entretanto, em uma leitura mais ampla do Novo Testamento, essa orientação é, na verdade, dada apenas aos onze discípulos. É nesse momento que os discípulos — aprendizes de Jesus — se tornam apóstolos, aqueles "enviados" para contar aos outros sobre Jesus. Esses onze se tornam os primeiros apóstolos.

Mas nem todo cristão é chamado a ser apóstolo. Como Paulo escreve em Efésios ao enumerar os dons do Espírito Santo: "Ele designou alguns para apóstolos, outros para profetas, outros para evangelistas, outros para pastores e mestres" (Ef 4.11). *Alguns* são apóstolos, não todos. Ele também não sugere aqui nem em nenhuma outra passagem em Efésios que ser enviado ao mundo é o principal propósito da igreja.

Paulo diz especificamente que ele é chamado a isso: "Ainda que eu seja o menos digno de todo o povo santo, recebi, pela graça, o privilégio de falar aos gentios sobre os tesouros infindáveis que estão disponíveis a eles em Cristo" (Ef 3.8). Mas nem sequer alude a que esse chamado é compartilhado por todos os cristãos ou pela igreja em geral. É o chamado feito a ele e aos outros apóstolos.

Então, sim, há pessoas na igreja intituladas apóstolos que são chamadas a sair pelo mundo e pregar e ensinar. E, sim, há um sentido em que o ensinamento do povo de Deus é disseminado pelo mundo. E, sim, há um sentido em que nós somos a luz e até mesmo o sal do mundo, como a passagem de Isaías expressa de modo tão belo. Não vamos menosprezar nosso chamado evangelizador.

Gostaria, no entanto, de sugerir que tudo isso não constitui *nosso propósito essencial* como povo de Deus. É, claramente, o chamado de alguns do povo de Deus e, assim, deve ser o chamado de outros na família de Deus para apoiá-los em seu trabalho apostólico e evangelizador por meio de orações e ofertas. Mas isso está bem distante de ser o propósito essencial da igreja, *a razão de sua existência.*

Talvez vocês se perguntem: e quanto a Mateus 25, em que Jesus fala sobre o chamado à justiça social? Jesus parece sugerir que o julgamento de Deus ao final da história será determinado por nossos esforços de justiça social. O que poderia indicar mais claramente nosso propósito?

Jesus descreve uma cena em que gente de todo o mundo está reunida diante dele no julgamento. Ele as separa em dois grupos, as ovelhas e os bodes, e diz para as ovelhas:

"Venham, vocês que são abençoados por meu Pai. Recebam como herança o reino que ele lhes preparou desde a criação do mundo [*notem a linguagem aqui, a mesma empregada em Efésios: antes da criação do mundo Deus já estava preparando o reino para si mesmo*]. Pois tive fome e vocês me deram de comer. Tive sede e me deram de beber. Era estrangeiro e me convidaram para a sua casa. Estava nu e me vestiram. Estava doente e cuidaram de mim. Estava na prisão e me visitaram."

Então os justos responderão: "Senhor, quando foi que o vimos faminto e lhe demos de comer? Ou sedento e lhe demos de beber? Ou como estrangeiro e o convidamos para a nossa casa? Ou nu e o vestimos? Quando foi que o vimos doente ou na prisão e o visitamos?".

E o Rei dirá: "Eu lhes digo a verdade: quando fizeram isso ao menor destes que são membros de minha família, foi a mim que o fizeram".

Mateus 25.34-40

A Nova Versão Transformadora traduziu acertadamente o literal "irmãos" como "membros de minha família". As pessoas que precisam de ministério não são apenas pessoas em geral, qualquer um que sofra. As pessoas específicas neste caso são o povo de Deus, os irmãos e irmãs de Cristo, membros da família de Deus. O chamado à justiça, nesse caso, não é nem mesmo um chamado à justiça — nenhuma injustiça está sendo retificada. É um simples chamado à compaixão pelo povo de Deus quando ele está em dificuldades. É um chamado para a igreja estar especialmente preocupada com aqueles na família que estão sofrendo. Alude à instrução de Paulo de que devemos fazer "o bem a todos", mas "especialmente aos da família da fé" (Gl 6.10).

E quanto às passagens proféticas de Isaías, Jeremias, Amós e Miqueias? Não nos ordenam que nos preocupemos com a justiça social para todos? E quanto a todos aqueles duros julgamentos contra os que oprimem viúvas e órfãos e maltratam estrangeiros, que aceitam subornos em vez de fazer a justiça? Não é um chamado alto e bom som ao trabalho em prol da justiça na sociedade?

Sim e não. É difícil negar a necessidade de os cristãos trabalharem em prol da justiça na sociedade. Qualquer cristão cujo coração não se parta ao ver uma injustiça, que não faz nada para aliviar o sofrimento no mundo, provavelmente nem pode ser considerado cristão. Mas voltaremos a esse ponto.

No caso da literatura profética, deixamos frequentemente de reconhecer que os profetas se preocupam pouco com o tratamento de viúvas e órfãos e subornos na Assíria, Babilônia e outros lugares. Mas eles se preocupam muito com tudo isso em Israel e Judá; preocupam-se muito com tudo isso quando é praticado *entre o povo de Deus*.

E por que não, se o povo de Deus é chamado a ser a luz das nações? Que tipo de luz ele pode ser se agir como todos os outros? O chamado dos profetas não é para que todos, em todos os lugares, lutem pela justiça para todos, mas para que os membros do povo de Deus tratem uns aos outros com justiça — com retidão — na presença de Deus.

Certamente as outras nações aparecem de vez em quando nas denúncias proféticas, mas a principal preocupação dos profetas é com a qualidade da vida entre o povo escolhido por Deus.

Novamente, precisamos fazer a distinção entre uma tarefa que o povo de Deus é chamado a executar e a própria base de sua existência, o propósito de sua vida juntos. Devemos, sem dúvida alguma, amar o próximo, o que agora inclui nossos inimigos. Uma forma de amá-los é por meio de atos de misericórdia e justiça. Mas isso não significa que a igreja exista para o bem do mundo.

O lado profético de Paulo

Acho interessante ver como Paulo adapta a preocupação profética quanto à retidão entre o povo de Deus à situação local em Éfeso. Nessa epístola, ele está claramente preocupado, primeiro e acima de tudo, com a qualidade da vida do povo de Deus.

Por exemplo, o que, na cabeça de Paulo, deveríamos fazer assim que fôssemos incorporados à família de Deus? Observem uma declaração sintética que aparece ao final da clássica passagem sobre a graça:

> Vocês são salvos pela graça, por meio da fé. Isso não vem de vocês; é uma dádiva de Deus. Não é uma recompensa pela prática

70 QUANDO FOI QUE COMEÇAMOS A NOS ESQUECER DE DEUS?

de boas obras, para que ninguém venha a se orgulhar. Pois somos obra-prima de Deus, criados em Cristo Jesus a fim de realizar as boas obras que ele de antemão planejou para nós.

Efésios 2.8-10

Já "de antemão" — o que ecoa "Mesmo antes de criar o mundo", do capítulo 1 — Deus nos preparou, nos chamou, nos reservou para realizar "boas obras". Anteriormente vimos que essas obras predestinadas foram assim resumidas: "Mesmo antes de criar o mundo, Deus nos amou e nos escolheu em Cristo para sermos santos e sem culpa diante dele" e "para o louvor de sua graça gloriosa". Não santos e sem culpa de alguma forma abstrata, nem santos e sem culpa em termos de moralidade em geral. Mas santos e sem culpa em um ponto específico: diante de Deus, no amor.

Não deveria nos surpreender, então, que logo depois de Paulo dizer que fomos predestinados a realizar boas obras, ele prossiga descrevendo essas boas obras principalmente em termos de amor:

> Não esqueçam que vocês, gentios, eram chamados de "incircuncidados" pelos judeus que se orgulhavam da circuncisão, embora ela fosse apenas um ritual exterior e humano. Naquele tempo, vocês viviam afastados de Cristo. Não tinham os privilégios do povo de Israel e não conheciam as promessas da aliança. Viviam no mundo sem Deus e sem esperança. Agora, porém, estão em Cristo Jesus. Antigamente, estavam distantes de Deus, mas agora foram trazidos para perto dele por meio do sangue de Cristo.
>
> Porque Cristo é nossa paz. Ele uniu judeus e gentios em um só povo ao derrubar o muro de inimizade que nos separava. Ele acabou com o sistema da lei, com seus mandamentos e ordenanças, promovendo a paz ao criar para si, desses dois grupos, uma

REPENSANDO A IGREJA: PANORAMA BÍBLICO **71**

nova humanidade. Assim, ele os reconciliou com Deus em um só corpo por meio de sua morte na cruz, eliminando a inimizade que havia entre eles.

Efésios 2.11-16

Logo em seguida ao versículo sobre as boas obras, Paulo começa a falar sobre o novo e surpreendente fato em termos práticos, de que o povo de Deus inclui tanto judeus como gentios. Apesar de antes serem hostis uns aos outros, esse muro divisor entre eles havia sido derrubado em Cristo. Paulo está ansioso para que seus leitores vejam essa situação totalmente nova:

Também peço que, como convém a todo o povo santo, vocês possam compreender a largura, o comprimento, a altura e a profundidade do amor de Cristo. Que vocês experimentem esse amor, ainda que seja grande demais para ser inteiramente compreendido. Então vocês serão preenchidos com toda a plenitude de vida e poder que vêm de Deus.

Efésios 3.18-19

E, à luz dessa nova realidade, exorta os leitores:

Portanto, como prisioneiro no Senhor, suplico-lhes que vivam de modo digno do chamado que receberam. Sejam sempre humildes e amáveis, tolerando pacientemente uns aos outros em amor. Façam todo o possível para se manterem unidos no Espírito, ligados pelo vínculo da paz.

Efésios 4.1-3

Resumindo o argumento dele: todos fomos salvos pela graça. Por meio da graça, somos agora chamados a viver uma vida de boas obras, ser santos e sem culpa no amor na presença de Deus. Especificamente, isso significa que devemos

72 QUANDO FOI QUE COMEÇAMOS A NOS ESQUECER DE DEUS?

aprender como viver em amor e unidade no corpo de Cristo, judeus e gentios juntos, glorificando a Deus. Devemos viver uns com os outros em humildade e delicadeza, com paciência, tolerar uns aos outros em amor, e fazer todos os esforços para manter essa unidade na paz. Essas são as "boas obras" específicas que somos chamados a executar.

Considerando que a identidade da igreja — sua própria razão de ser — é a de um povo que desfruta do prazer de estar unido a Deus em Cristo e uns aos outros, de modo que Cristo "enche consigo mesmo todas as coisas em toda parte" (Ef 1.23), então, neste momento, antes que essa promessa seja cumprida, somos chamados a viver nesse destino. Isso significa, primeiro e acima de tudo, aprender a viver em unidade e amor uns com os outros enquanto louvamos sua glória juntos em adoração. Isso, ao que parece, é o equivalente do chamado profético ao povo de Israel para viver juntos em retidão.

É preciso observar que esse é o chamado de Jesus a todos os que creem nele. Vejam a oração dele ao final de sua vida terrena. É o ponto culminante da oração, o objetivo da oração, o que é mais importante para ele dizer ao final. Ele não está meramente orando por seus discípulos (que logo se transformariam em apóstolos), mas por todos os que passarão a crer nele:

> Não te peço apenas por estes discípulos, mas também por todos que crerão em mim por meio da mensagem deles. Minha oração é que todos eles sejam um, como nós somos um, como tu estás em mim, Pai, e eu estou em ti. Que eles estejam em nós, para que o mundo creia que tu me enviaste.
>
> Eu dei a eles a glória que tu me deste, para que sejam um, como nós somos um. Eu estou neles e tu estás em mim. Que eles

experimentem unidade perfeita, para que todo o mundo saiba que tu me enviaste e que os amas tanto quanto me amas.

João 17.20-23

A principal "missão" horizontal da igreja (se quisermos chamá-la assim) antes da segunda vinda de Jesus é viver conjuntamente em paz, amar uns aos outros, realizar boas obras uns para os outros, ser santos e sem culpa no amor diante de Deus e uns dos outros, superando as clássicas divisões entre gregos e judeus, homens e mulheres, escravos e livres — e tudo no contexto da adoração, vivendo em louvor à glória de Deus.

Quando fazemos isso bem, estamos, ainda que de modo sutil, mostrando a vida da nova Jerusalém, sendo a luz das nações, um sinal de para onde ruma a história, quando Deus "habitará com eles, e eles serão seu povo", e "o próprio Deus estará com eles" (Ap 21.3). Onde Cristo preenche consigo mesmo todas as coisas em toda parte, de modo que toda a família desfrutará do puro deleite de seu amor, louvando-o e glorificando-o para todo o sempre.

Minha conclusão depois de analisar o panorama bíblico é esta: a missão da igreja não é sair e tornar o mundo um lugar melhor, ser a bênção, transformar a cultura, trazer justiça ao mundo, trabalhar para a prosperidade humana. O destino e propósito da igreja é vivermos juntos no amor em Cristo, para o louvor da glória de Deus. Esse, na verdade, é o destino de toda a humanidade, não importa de que canto do globo venha.

Em vez de o mundo ser o propósito da igreja, o propósito do mundo é se tornar a igreja.

5

Repensando a igreja:
uma dieta mais equilibrada

Essa visão — de que a missão da igreja não é, em primeiro lugar e acima de tudo, sair e tornar o mundo um lugar melhor, mas vivermos juntos no amor em Cristo, para o louvor da glória de Deus — não é apenas um conceito teológico, uma forma criativa de pensar sobre o relacionamento da igreja com o mundo. Com base em minha experiência como pastor e membro do protestantismo de linha principal, e em minhas três décadas como jornalista integrado ao evangelicalismo, penso que essa visão da igreja é crucial para a saúde e sobrevivência do cristianismo nos Estados Unidos.

Eis o que vi acontecer repetidas vezes quando a igreja é concebida como primordialmente missional, existindo para o bem do mundo.

Primeiro, isso estimula vários cristãos — admitamos isso. Foi por esse motivo que Rauschenbusch concebeu o evangelho social. E a palavra missional de Newbigin para as arrogantes igrejas britânicas despertou muita gente. Entendo a atração.

Estive em igrejas moribundas, agonizantes, que se transformaram quando adotaram uma postura missional — pelo menos por algum tempo. Quando a congregação da igreja passa a acreditar que a igreja deve exercer uma influência positiva sobre o mundo, os membros sofrem uma mudança estimulante. Isso lhes dá novo ânimo, significado e propósito. Entregam-se

REPENSANDO A IGREJA: UMA DIETA MAIS EQUILIBRADA **75**

mais profundamente à igreja com entusiasmo, porque agora acham que a igreja vai mudar o mundo. Naturalmente, eles imaginam, a igreja vai adaptar a si mesma e sua organização para transformar o mundo.

O que acabam descobrindo, todavia, é que as igrejas raramente fazem isso. A igreja deixa de contribuir mais para as missões. Deixa de se reorganizar missionalmente. Restringe recursos ao culto, à educação cristã e ao discipulado em prol de estender a mão à cultura ao redor. Essa decepção é sentida em diversos locais e de modo ainda mais agudo por aqueles que aceitam um chamado missional da igreja. Um livro após o outro e uma conferência missional após a outra são dedicados a tratar desse problema.

Algumas poucas igrejas conseguem, de fato, converter-se em organizações missionais, mas geralmente apenas por um período curto. Aqueles inclinados ao missional ficam desencorajados e zangados a essa altura. Acusam a igreja de hipocrisia, egoísmo e irrelevância. Embora isso seja verdadeiro em relação à igreja em todos os tempos e lugares — somos pecadores, afinal —, o que muitos deixam de reconhecer é esta realidade: a igreja não é, na verdade, projetada para ser missional.

Para ser claro, vou explicar o que quero dizer com "a igreja". Entendo a igreja como um corpo concreto de crentes reunidos para a adoração a Deus em Cristo, congregados ao redor da Palavra pregada e ensinada e dos sacramentos / ordenanças como a Ceia do Senhor e o batismo, vivendo juntos e crescendo em amor. A maioria de nós entende instintivamente isso como "igreja", mesmo que possamos reconhecer que organizações paraeclesiásticas, com seus ministérios especializados, são compostas de membros da família de Deus e, portanto, por extensão, podem ser chamadas de "a igreja". Mas aqui

76 QUANDO FOI QUE COMEÇAMOS A NOS ESQUECER DE DEUS?

estou me concentrando na realidade concreta da congregação local, de culto, como a expressão proeminente da igreja.

Deixem-me dar um exemplo que indica por que a igreja não foi projetada para ser missional em seu âmago. É algo que vi acontecer em diversas igrejas. A igreja contrata um pastor da juventude, e a igreja e o pastor escrevem uma descrição do trabalho missional: a principal tarefa do pastor é atender aos jovens com problemas na comunidade e trazê-los para Cristo. Muitos membros da igreja aplaudem essa abordagem missional, cumprimentam-no e lhe dizem que inicie o trabalho.

Então ele visita escolas locais de ensino médio e convive com várias almas perdidas, convidando-as a entrar na igreja. Mas o pastor da juventude descobre que ministrar a esse grupo requer uma quantidade extraordinária de tempo e energia. Quanto mais se aproxima missionalmente dos adolescentes "perdidos", de menos tempo dispõe para ensinar os jovens da congregação. Naturalmente, os pais que frequentam a igreja do pastor da juventude estão ansiosos para que seus adolescentes cresçam em Cristo, e acham que, em parte, contrataram o pastor para ajudar nessa tarefa. Mas esse pastor geralmente não está disponível em lugar algum, porque está fora atendendo na comunidade aos jovens que não são da igreja.

Já dá para se prever para onde estamos indo. É claro que (a) jovens com problemas necessitam da ajuda de cristãos, (b) jovens cristãos precisam de ensinamento e incentivo, e (c) são raras as situações em que um pastor da juventude consegue desempenhar as duas atividades com eficácia. A igreja simplesmente não está preparada para fazer ambos e, se minha argumentação bíblica no capítulo anterior está correta, *não se espera* que cumpra ambas as atividades da mesma forma. O principal propósito de um pastor da juventude, em minha

REPENSANDO A IGREJA: UMA DIETA MAIS EQUILIBRADA 77

leitura, é ajudar os jovens a se tornarem santos e sem culpa em amor, sempre fazendo isso enquanto louvam a glória de Deus em adoração.

Isso faz com que alguns de nós estremeçamos, porque parece tão egoísta, como se a igreja estivesse desertando do mundo. Mas acontece que a igreja não é uma instituição muito eficiente para provocar mudanças no mundo. Se você quer muito alimentar os famintos, por exemplo, as igrejas podem dar alguma ajuda aqui e ali. Mas se você quer realmente mudar o mundo — se quiser realmente reduzir a quantidade de famintos e subnutridos — é mais eficaz dedicar o tempo a um governo, empresa ou organização não lucrativa que se especialize nesse tipo de atendimento.

Por exemplo, as taxas globais de pobreza despencaram de 43% da população mundial em 1990 para 22% em 2008 e para 10% em 2015. Como os especialistas explicam essa mudança dramática? As igrejas e ONGs podem ter cumprido um papel, mas foram, em grande maioria, os governos (especialmente na China e na Índia) que fizeram "investimentos em favor dos pobres" — ou seja, criaram condições mercadológicas para o crescimento, investindo em tecnologia e ampliando a educação.[1] Tais iniciativas exigem bilhões de dólares e conhecimento econômico e tecnológico especializado muito além da capacidade de qualquer igreja ou grupo de igrejas. Quem quiser realmente vencer a pobreza, é melhor abrir uma empresa ou ser eleito para um cargo onde possa mudar as leis.

Isso é verdade também se estivermos falando de tráfico sexual, abuso de drogas, exploração do trabalho, degradação ambiental ou qualquer das várias outras questões sociais. A igreja como igreja pode fazer uma doação, organizar um comitê ou patrocinar uma distribuição gratuita de alimentos,

78 QUANDO FOI QUE COMEÇAMOS A NOS ESQUECER DE DEUS?

mas não consegue, na verdade, exercer um impacto significativo, duradouro. Não foi planejada para isso. Na prática, ela tem vários outros trabalhos importantes a fazer.

Acima de tudo, ela é chamada, por exemplo, a fornecer tempo e local para a adoração pública de Deus e para as pessoas receberem os sacramentos/ordenações do batismo e a Ceia do Senhor — para encontrarmos a Deus enquanto o glorificamos. É também chamada a ensinar quem é Deus para crianças, jovens e adultos, assim como a forma e a natureza da vida cristã. É um local onde os cristãos se reúnem para receber encorajamento mútuo e oração. É o local onde aprendemos a viver com nosso destino: ser santos e sem culpa no amor para o louvor da glória de Deus.

Isso não significa que a igreja seja livre para ignorar, por exemplo, jovens com problemas e fora da igreja. Longe disso. Mas a igreja não é a instituição mais adequada para tratar deles. Essa é uma das razões pelas quais sou um grande fã, grande contribuinte e membro do conselho do ministério local da Young Life [Vida jovem] — eles fazem um ótimo trabalho nesse aspecto. Organizações paraeclesiásticas são ótimas para tratar de questões sociais especializadas.

E quanto àquelas pessoas cuja esperança de uma igreja missional foram frustradas? O que acontece com elas, e o que acontece com a igreja?

Em minha experiência, o que acontece é que muitos desistem da igreja. Porque sua visão da igreja é missional, a igreja, na opinião deles, simplesmente falhou e, assim, eles se afastam. Em vez de permanecer na igreja, devotam cada vez mais tempo a instituições especializadas (ministérios paraeclesiásticos e outras ONGs) ou se lançam na política — que não trata de mais nada além de tornar o mundo um lugar melhor.

REPENSANDO A IGREJA: UMA DIETA MAIS EQUILIBRADA **79**

Se você está convencido de que a igreja foi criada para o mundo e você adota como propósito principal tornar o mundo um lugar melhor, por que se importar com a igreja? É claro que ela não é muito eficaz. Melhor se devotar à UNICEF ou ao Partido Democrata.

E é exatamente isso que tantos nas igrejas protestantes de linha principal têm feito ao longo das últimas décadas. Há muitas razões para o declínio numérico do protestantismo histórico, mas, em minha opinião, uma das principais é que, em algum ponto da década de 1960, essas igrejas adotaram novamente a ideia de que a igreja foi criada para o bem do mundo, que o propósito da igreja era tornar o mundo um lugar melhor. Isso levou a um entusiasmo inicial, sim, mas depois ao desalento, quando se tornou claro que, a não ser para fazer declarações políticas nas convenções anuais, a igreja não estava bem equipada para tornar o mundo um lugar melhor. Quando os filhos dessa geração somaram dois e dois, viram que poderiam descartar a igreja e continuar tentando transformar o mundo sem ela.

No entanto, algo mais acontece quando as igrejas reconhecem quão deficientes são no aspecto missional. Muitas delas intensificam os esforços. Essas igrejas veem os jovens deixando a igreja em grande número — porque ela não é relevante para o mundo, porque não está exercendo uma forte influência positiva sobre o mundo — e entram em pânico. Infelizmente, elas continuam a supor que ser relevante significa fazer deste um mundo melhor. E então gritam ainda mais alto e fazem mais pronunciamentos sobre cada vez mais males sociais, quanto mais recentes, melhor. O tom de sua teologia se torna cada vez mais secular. Então vemos que cada vez mais as igrejas protestantes históricas dão a impressão de ser simplesmente o

Partido Democrata em oração, e as igrejas evangélicas, o Partido Republicano em adoração.

Hoje me parece claro que muitos da esquerda evangélica estão descendo pelo caminho aberto pelo protestantismo de linha principal. E a direita evangélica — a começar de Jerry Falwell e a ascensão da direita religiosa — está no caminho aberto pela religião civil, uma religião de Deus e do país. Tanto a esquerda quanto a direita estão ansiosas por transformar o mundo, por tornar o mundo um lugar melhor segundo suas próprias concepções, porque ambas acreditam que o propósito da igreja é tornar o mundo um lugar melhor. Em vez disso, a meu ver, terminarão marginalizando a igreja ainda mais.

O que prevejo para o evangelicalismo em particular é o que tenho visto acontecer com o protestantismo histórico. Quanto mais ficamos fascinados com o missional, e quanto mais tomamos esse remédio a fim de curar a doença da letargia da igreja, mais doentes ficaremos, e mais pessoas em nosso meio ficarão frustradas. E isso levará ainda mais pessoas a deixar a igreja.

Já se veem sinais disso. Mais de dez anos atrás, Michael Lindsay fez uma pesquisa e escreveu um estudo agora clássico das pessoas influentes na cultura evangélica chamado *Faith in the Halls of Power: How Evangelicals Joined the American Elite* [A fé nos corredores do poder: Como os evangélicos chegaram à elite americana].[2] No decorrer dessa pesquisa, ele descobriu que um grande número de evangélicos estava inserido em instituições culturais de primeira importância — governo, educação, entretenimento e assim por diante — e que eles estavam, na verdade, mudando o mundo. Mas notou também que poucos deles estavam ligados a uma igreja local.

Arrisco a hipótese de que esses líderes culturais acharam que a igreja local era irrelevante, provavelmente para seu próprio crescimento espiritual, mas também porque não estava exercendo um grande efeito sobre o mundo. Desde a publicação desse livro, o número daqueles que se identificam como "espirituais, mas não religiosos" só aumentou, o que sugere que os cristãos nesse grupo estão ainda menos comprometidos com a igreja e, desconfio, pelas mesmas razões.

Não há dúvida de que algumas igrejas só estão respirando com a ajuda de aparelhos, e algumas se tornaram clubes sociais espirituais. Algumas igrejas ferem e até mesmo abusam de seus membros física, psicológica ou espiritualmente. Essas são razões compreensíveis para se deixar a igreja e não voltar durante anos. Mas desconfio que uma alta porcentagem das pessoas que abandonam as igrejas evangélicas o faz porque não acha que a igreja esteja se esforçando o bastante para transformar o mundo.

Onde se fazem santos

Essas elites evangélicas pavimentaram o caminho para todos aqueles crentes que vivem um cristianismo sem igreja e servem a Deus por meio de outras instituições. O que esses cristãos fazem no mundo é certo, bom e deve realmente ser admirado. Eles estão verdadeiramente amando o próximo de formas inspiradoras.

O que me preocupa é que tantos desertaram da única instituição que encarna o real propósito de Deus para o mundo. E o que me entristece é que eles se retiraram do único lugar que pode lhes ensinar sobre o amor.

Na visão de Paulo, a igreja é composta de pessoas de todos os tipos, pecados, convicções, etnias, raças, forças e fraquezas, mas unidas em Cristo. Em vista disso, não consigo pensar em

82 QUANDO FOI QUE COMEÇAMOS A NOS ESQUECER DE DEUS?

nenhuma instituição no planeta que esteja mais bem situada para ensinar seus membros a viver no amor.

A essa altura, surge a tentação de pintar um quadro idealista da igreja. Mas é precisamente isso que não devemos fazer. Não precisamos esperar que a igreja viva segundo seus ideais para constatar que já é um laboratório para a visão bíblica. Basta que eu lhe peça para pensar em sua própria igreja e entenderá o que quero dizer.

Provavelmente há um Max na sua igreja, um legalista que lê a Bíblia literalmente e critica sem cessar tudo o que não é comprovado nas páginas da Bíblia. E há também Marjorie, uma mulher que trabalha vigorosamente na escola dominical, mas cuja fraqueza é a fofoca, sendo você o alvo de algumas delas. E há ainda aquele casal, David e Barbara, separados, mas tentando se entender. No comitê de missões, Doris e Jim discutem seguidamente, às vezes de modo nada caridoso, se devem dar mais dinheiro para causas evangélicas ou de justiça social. Além disso, você desconfia que o pastor assistente tenha problemas com a bebida. E você nunca se deu bem com Scott porque ele é fanático demais quanto ao meio ambiente.

E assim vamos. Apesar disso, todos os domingos você se reúne com esse grupo heterogêneo para adorar Jesus Cristo. Vocês oram juntos; cantam hinos que falam da unidade em Cristo; afirmam a fé comum em Deus — Pai, Filho e Espírito Santo; desejam paz ou saúdam um ao outro em sinal de amor. Você participa de comitês, frequenta estudos bíblicos e serve comida no abrigo para os sem-teto com essas pessoas. Você vive com elas em algo semelhante a uma comunidade centrada em Jesus. Não é uma maravilha. Não é esplêndido. Mas é um laboratório de amor, onde se encontra Deus e onde relacionamentos são tolerados, aperfeiçoados e celebrados. É um local onde se fazem santos.

É também o principal local que nos lembra regularmente de amar o próximo. Não nos esqueçamos disso. O fato de que amar o próximo não seja a principal missão da igreja não significa que não continue sendo o segundo maior mandamento para os discípulos. Dessa forma, a igreja encoraja seus membros a praticar simples atos de hospitalidade, assim como atos de sacrifício para aqueles fora da igreja. Estimula-nos ao voluntariado em organizações como o Habitat para a Humanidade e ao trabalho de distribuição de alimentos ou em um abrigo para os sem-teto na região em que moramos. Talvez alguns membros da igreja sejam candidatos ao Congresso, entrem na polícia ou lecionem nas regiões mais pobres. Alguns se tornarão médicos ou advogados, outros donos de mercearia e jardineiros — todos eles, no resto da semana, trabalham no Espírito do Senhor em diversas profissões para tornar o mundo um lugar melhor.

Se você quer fazer algo que seja realmente difícil, e se quer ir além de seus próprios limites, se quer ser constantemente desafiado a amar, se quer viver o seu destino supremo — se quer aprender a ser santo e sem culpa no amor diante de Deus — não há melhor lugar para fazer isso do que na igreja local.

Muitos de nós hoje notamos acertadamente os grandes defeitos da igreja, a maioria dos quais se reduz à superficialidade. Porque a igreja acha que precisa ser missional, que precisa ser um lugar onde o mundo se sinta confortável, ela simplificou a pregação e o culto de modo que, em muitos lugares, acabamos com um cristianismo de mínimo denominador comum. É facilmente assimilável, e é por isso que atrai tantos e por que várias igrejas estão crescendo. Mas é algo destinado a atrofiar o crescimento do povo de Deus. E é um modo de vida da igreja que acaba exaurindo as pessoas, em que as pessoas se esgotam tentando tornar o mundo um lugar melhor.

E se, em vez disso, a igreja fosse um refúgio, um local de descanso, onde a irmandade de crentes vivesse conjuntamente em amor? E se utilizássemos as organizações paraeclesiásticas e outras profissões para atender ao próximo que não frequenta a igreja e, pela graça de Deus, mudar para melhor o mundo deles, e conservássemos a igreja como o local onde aprendemos a ser santos e sem culpa no amor diante de Deus?

Não que aprender a amar na igreja seja assim tão fácil. Mas aprender a amar tem essa qualidade espontânea: quanto mais falhamos, mais nos voltamos a Deus e aos outros em busca de perdão e, assim, absorvemos o poder da graça que muda a vida.

Se essa visão bíblica se firmasse em cada vez mais igrejas locais — e já está presente em diversos lugares —, acredito que veríamos algumas mudanças significativas. A igreja não ficaria mais ansiosa e preocupada em ser relevante para o mundo nos termos do mundo; não se preocuparia com a falta de habilidade em mudar o mundo para melhor de acordo com as normas da sociedade; não pensaria em si mesma como um meio para um fim útil, mas como um fim estabelecido por Deus para a humanidade — ou seja, um local onde aprendemos a viver juntos no amor: republicanos e democratas; ricos e pobres; homens e mulheres; brancos, hispânicos, negros e asiáticos. Um local onde aprenderíamos a crescer, chegando à completa medida da estatura de Cristo, que é todas as coisas em toda parte, para o louvor da glória de Deus.

E, acima de tudo, a igreja se tornaria um local onde aprenderíamos tudo o que há para saber sobre louvar a glória de

Deus, um local onde aprenderíamos a bela arte do louvor, um local que se valeria de todas as formas de música, palavras, drama, leitura e arte visual para louvar a Deus por sua salvação vindoura, de modo que, quando as nações do mundo afluírem para a nova Jerusalém, elas terão canções para cantar e hinos para entoar e palavras para louvar o Deus que as reuniu no amor.

Esse, acredito, é o propósito da igreja. Nos próximos capítulos veremos em mais detalhes como essa visão pode afetar as várias facetas da vida da igreja.

6

O foco do culto

O melhor culto a que já assisti foi em uma igreja ortodoxa no centro comercial de Chicago. Estava repleta de convertidos evangélicos à ortodoxia, então continha uma liturgia e cantos profundos e históricos combinados ao fervor evangélico. Ouso dizer que me senti elevado à presença de Deus, ou melhor, que a presença de Deus havia descido sobre nós.

O pior culto a que já assisti foi em uma igreja ortodoxa na Filadélfia. Os sacerdotes dirigiam a liturgia de trás da iconóstase — um biombo com ícones separando o santuário (onde fica o altar) da nave (onde fica a congregação). A única resposta que a congregação era convocada a dar era um "amém" de vez em quando. Nem mesmo nos somávamos aos sacerdotes no canto. Minha sensibilidade protestante ficou tão ofendida que me retirei no meio do culto.

Relato essa experiência para dizer que, embora acredite que os ortodoxos de modo geral exaltem e glorifiquem a Deus como nenhuma outra tradição cristã, até mesmo uma tradição que possui todas as "ferramentas" adequadas para a adoração pode falhar.

E isso nos leva ao culto evangélico, com seus altos e baixos. Nosso anseio compreensível e muitas vezes impressionante é transmitir o amor a Deus para o mundo. Apesar disso, as Escrituras são claras quando dizem que nosso primeiro chamado é para ficar na presença de nosso Deus amoroso e adorá-lo. Novamente, como afirma o Breve Catecismo de Westminster, nosso principal propósito é "glorificar a Deus e dele desfrutar para sempre".

Os autores dessa conhecida frase foram profundamente influenciados pelo conjunto da história bíblica e o fim para o qual ruma a história.

Para começar, notem que, dependendo de como são numerados, três ou quatro dos Dez Mandamentos dizem respeito à forma adequada de adoração:

> Não tenha outros deuses além de mim.
> Não faça para si espécie alguma de ídolo [...].
> Não use o nome do SENHOR, seu Deus, de forma indevida. [...]
> Lembre-se de guardar o sábado [...].
>
> Êxodo 20.3-4,7-8

Se isso não bastar, acrescentem-se as diversas leis detalhadas prescrevendo como o templo deve ser construído e adornado e como o culto deve ser conduzido. Ao que parece, Deus não achava que qualquer detalhe fosse pequeno demais quando se tratava da adoração. Tome, por exemplo, as instruções referentes à mesa em que deveriam ser depositados os pães da presença:

> Faça também uma mesa de madeira de acácia com 90 centímetros de comprimento, 45 centímetros de largura e 67,5 centímetros de altura. Revista-a com ouro puro e coloque uma moldura de ouro ao seu redor. Enfeite-a com uma borda de 8 centímetros de largura e com uma moldura de ouro ao redor da borda. Faça quatro argolas de ouro para a mesa e prenda-as aos quatro cantos, junto aos quatro pés. Prenda as argolas junto à borda para sustentar as varas que serão usadas para transportar a mesa.
>
> Êxodo 25.23-28

88 QUANDO FOI QUE COMEÇAMOS A NOS ESQUECER DE DEUS?

E há também os Salmos, que foi e continua sendo usado como livro de canções para o culto.

É verdade que, nos Profetas, o Senhor repreende seu povo pela adoração meticulosa, especialmente quando sua pretensa devoção a Deus não era acompanhada pelo amor ao próximo. E assim vemos Deus dizer com frequência, de um jeito ou de outro, que a verdadeira adoração é buscar a justiça para o oprimido. A ética, todavia, jamais substitui a adoração nos Profetas, mas é encarada como um complemento necessário à verdadeira adoração. Ao final, o mais importante é sempre a adoração. Como registra o profeta Miqueias:

> Nos últimos dias, o monte da casa do Senhor
> será o mais alto de todos.
> Será elevado acima das outras colinas,
> e povos de todo o mundo irão até lá.
>
> Miqueias 4.1

Essa visão do fim da história — significando tanto destino quanto propósito — raramente é abandonada no Novo Testamento. Da visão de Paulo de todos os joelhos se dobrando e todas as línguas declarando Jesus como Senhor (ver Fp 2.10-11) até a visão de João dos 24 anciãos glorificando a Deus (ver Ap 4), e em várias passagens entre essas duas, vemos a adoração como a grande e fantástica atividade no reino dos céus.

Na última década, aproximadamente, as congregações evangélicas despertaram para a centralidade do louvor e da adoração. Uma das grandes mudanças em nosso tempo aconteceu na forma como prestamos culto. "Coros de louvor" e música contemporânea de adoração, apesar de todas suas limitações, dirigem nosso coração e nossa mente para Deus. Nem sempre precisamos ser ensinados a erguer o rosto ou levantar os braços enquanto cantamos esses cânticos, pois os próprios cânticos muitas vezes nos levam a erguer os olhos para buscar e louvar a Deus. Teríamos de ser avarentos espirituais para não reconhecer que esse tipo de música ajuda a igreja a adorar a Deus.

Apesar disso, a tentação do horizontal está sempre conosco, e aparece sob vários disfarces em nosso culto. Infelizmente, os líderes de culto — como eles próprios não raro admitem — são tentados a seguir as sugestões das *Conferências sobre avivamentos*, de Finney. Todo líder de culto que se preze sabe como controlar as emoções da congregação, levando-a da devoção silenciosa ao louvor estridente, ou da glorificação pulsante à meditação murmurante. Não precisamos negar que, apesar da óbvia manipulação ocasional, somos tocados por Deus nesses cultos. Mas é uma tentação constante substituir Deus pela técnica, buscar não o Santo dos Santos, e sim o desfrute das diversões espirituais.

Outra forma de descrever essa tentação é a seguinte: o que muitas vezes de fato queremos é que o culto nos dê um bom sentimento espiritual. Desconfio disso por causa da falta de atenção com o que estamos cantando.

Entoamos versos que dizem: "Derrama tua glória" e "Mostra-nos tua face". Mas não sabemos o que estamos pedindo. As pessoas na Bíblia que realmente encontraram a glória de Deus caíram ao chão aterrorizadas. Por exemplo, depois da cena da pesca milagrosa, Pedro sabe que está na presença do Glorioso. Ele não bate palmas para Deus. Não chora de alegria. Ele cai de joelhos, suplicando que Jesus se afaste dele. A glória de Jesus tornou-lhe claro que ele é um pecador (ver Lc 5.1-11).

O mesmo acontece a Isaías no templo. Quando Isaías capta apenas um vislumbre da glória de Deus, ele não irrompe em um cântico de louvor. Na verdade, acha que está prestes a morrer: "Estou perdido! É o meu fim, pois sou um homem de lábios impuros e vivo no meio de pessoas de lábios impuros. Meus olhos, porém, viram o Rei, o SENHOR dos Exércitos!" (Is 6.5).

Aliás, Deus se recusa a deixar Moisés ver-lhe o rosto precisamente porque isso levaria à morte de Moisés (ver Êx 33.20).

Ainda mais sóbria é a ligação que o Evangelho de João estabelece com a glória divina. O Evangelho de João certamente diz respeito, em parte, à exibição dos poderes milagrosos de Jesus — mas eles não eram tão espetaculares a ponto de impedir que alguns permanecessem incrédulos. A glória de Jesus é uma glória silenciosa, humilde, que é impossível de discernir sem fé. E isso também é glória: a humildade da Encarnação e a degradação da Crucificação.

Quando pedimos pela glória de Deus, não estamos pedindo para conhecer o temor de Deus e o sofrimento humilde que a vida nele acarreta. Se formos honestos com nós mesmos, o que geralmente queremos é um sentimento religioso agradável. Não estamos realmente interessados no que é a glória de Deus e no que ela poderia operar em nós.

Mas tentarei ser justo. O que muitas vezes pedimos nesses cânticos de louvor é para conhecer Deus íntima, pessoal e imediatamente. Nesse aspecto, estamos bastante sintonizados com o salmista, que anseia por Deus. Sejamos sábios em perceber, no entanto, que, se obtivermos o que pedimos, será mais complexo e paradoxal do que conseguimos imaginar. É por isso que considero um bom sinal que cada vez mais igrejas estejam tentando acrescentar hinos clássicos aos ofertórios, pois eles testemunham com mais frequência da plenitude e complexidade de Deus.

O modo como estruturamos nossos cultos indica outra tentação horizontal. Muitas igrejas, por exemplo, apresentam um culto mais ou menos estruturado em torno de dois símbolos culturais: o concerto de *rock* e os programas de entrevista e comédia na televisão. Por um lado, muitas igrejas evangélicas possuem um conjunto típico — guitarras, baixo, piano elétrico e bateria, junto com cantores — apresentando-se diante do público. "Não, eles estão liderando o culto, não dando espetáculo", talvez alguns objetem. Mas, vamos falar a verdade, existe um elemento de espetáculo em tudo o que acontece no palco. Sim, o conjunto visa nos levar à adoração, mas todos assistimos a cultos em que a música é tão alta que não conseguimos ouvir a pessoa ao lado cantando. Por mais que os líderes de culto se esforcem por manter o ego sob controle, eles são os primeiros a admitir que a própria atmosfera do culto contemporâneo torna quase impossível não se pensar neles como estrelas do *rock* — do culto, sim, mas estrelas do *rock*, não obstante.

Até as igrejas empenhadas em cultos mais clássicos, litúrgicos, acham irresistível a tentação de imitar um show de *rock*. Uma igreja anglicana que conheço, ao reformar o local de culto, instalou a bateria não na lateral, junto aos outros músicos, mas bem na frente da grande cruz que adorna o centro do palco. Em uma tradição que compreende a importância dos símbolos e de como eles podem nos ajudar a prestar culto, adorar a Deus e nos atrair para sua presença, a imagística é chocante. Enquanto o culto se desenvolve, onde as pessoas irão concentrar o olhar: na cruz que está estática ou no baterista que se move ritmicamente com a música? O simbolismo conflitante é perturbador, no mínimo.

Essa igreja, aliás, é uma das mais eficazes na comunidade na tarefa de ajudar os perdidos e aflitos em nome de Cristo. Isso ilustra quão confusos estamos a respeito do relacionamento entre o horizontal e o vertical — e as mensagens conflitantes que acabamos enviando a nós mesmos e àqueles que visitam nossas igrejas.

E não é que as igrejas tradicionais, litúrgicas, levem alguma vantagem. Tendo sido por muito tempo membro das igrejas episcopal e anglicana, posso lhes assegurar que não é incomum que as conversas após o culto versem sobre se alguma ação ou palavra litúrgica foi feita adequadamente, seguidas por um comentário ao sacerdote de que esse ou aquele acólito precisa de mais treinamento. Ou, tomando um exemplo extremo, o jeito certo de acender o pequeno fogo na entrada da igreja como prelúdio para a vigília de Páscoa. Lembro-me de um diácono, normalmente amável e compassivo, que ficou extremamente aborrecido com um sacerdote interino que acendeu o fogo da Páscoa com um isqueiro — como se fazer aquilo fosse um sacrilégio. Então, sim, o foco no horizontal pode ser uma tentação para os litúrgicos também.

Apesar do foco renovado na adoração como um elemento-chave no culto evangélico, desconfio de que muitas vezes ainda estejamos mais interessados no horizontal do que no vertical. Quantas vezes ouvimos alguém dizer que a descrição tradicional do céu parece muito entediante, como se fosse um longo culto? Isso diz muito sobre o que pensamos de nossos cultos e o que pensamos da adoração. Como afirmou o teólogo puritano Isaac Ambrose: "Considere que *olhar para Jesus* é uma obra celestial [...] . Se, então, não gostamos dessa obra, como viveremos no céu?".[1] Em vez disso, quando queremos fazer o reino dos céus soar mais atraente, falamos sobre ele assim:

"Tudo o que você gosta de fazer nesta vida — esportes, carpintaria, arte, jardinagem, culinária, etc. — será incomparavelmente melhor na vida vindoura". Ou então ficamos ansiosos por um feliz reencontro com os entes queridos.

Esse tipo de expectativa parece ser parte da gloriosa era que virá. O que indica a existência de um problema é nosso coração. Quem de nós não reconhece que são essas atividades e o reencontro com os entes queridos que geralmente nos entusiasmam mais do que passar a eternidade glorificando o Verdadeiro, o Bom e o Belo?

Repensar em como adoramos começa, então, com manter o foco em Deus do início ao fim. Líderes de culto experientes terão as melhores ideias sobre como fazer isso, então vou deixar que se encarreguem dessa tarefa.

Creio que uma solução é reconhecer que tudo o que acontece no culto é adoração, e não apenas a música. Muitos de nós adquirimos o terrível vício teológico de chamar apenas a primeira parte do culto de "adoração", quando cantamos em louvor a Deus em três ou quatro cânticos. Dizemos coisas como: "Antes de escutarmos o sermão, passemos algum tempo em adoração". Como se os cantos dissessem respeito a Deus e o sermão não. Essa é uma das piores confusões que há. O sermão também deve concernir a Deus em primeiro lugar e acima de tudo. É por isso que tradicionalmente todo o culto — cantos, oração, leitura da Bíblia, pregação, ofertório e bênção — é chamado de serviço de *adoração*.

Então essa é uma percepção que devemos mudar. Outra percepção que devemos mudar está relacionada aos sacramentos/ordenanças, que merecem um capítulo próprio.

7
O que aconteceu com a Comunhão?

Não há maior sinal de que os evangélicos se esqueceram há muito tempo de suas raízes do que a decadência em que os sacramentos (ou ordenanças) se encontram em nossos dias. É preciso que nos lembremos de que o Segundo Grande Despertamento começou como um retiro de Comunhão. Igrejas de todos os lugares se reuniram em Cane Ridge, no Kentucky, a fim de se prepararem para a Comunhão e depois compartilharem dela. Escrevi um artigo sobre esse avivamento vários anos atrás:

> As Comunhões (encontros anuais que duram entre três e cinco dias e que culminam com a Ceia do Senhor) reuniam dezenas, talvez centenas de pessoas. Nessa Comunhão em Cane Ridge, no entanto, às vezes vinte mil pessoas circulavam pelo local — assistindo, orando, pregando, chorando, gemendo, caindo. Embora algumas ficassem de lado e zombassem, a maioria saía de lá maravilhada com a assombrosa mão de Deus.
>
> A Comunhão de Cane Ridge se tornou rapidamente um dos acontecimentos mais divulgados na história dos Estados Unidos e, segundo o historiador da Universidade Vanderbilt, Paul Conkin, "provavelmente [...] a reunião religiosa mais importante em toda a história norte-americana". Desencadeou a explosão da religião evangélica, que logo chegou a quase todos os cantos da vida do país. Durante décadas a oração das reuniões religiosas em acampamentos e avivamentos em todo o país era "Senhor, que seja como Cane Ridge".

Nessas Comunhões, as pessoas se reuniam na sexta-feira e passavam a noite e o sábado orando, lendo as Escrituras e escutando sermões enquanto se preparavam para o culto e a Comunhão no domingo. Em Cane Ridge, o sábado não foi assim tão calmo:

> Os cultos da manhã de sábado foram tranquilos — a proverbial calma antes da tempestade. Mas, à tarde, a pregação foi contínua, tanto na casa de culto quanto na grande tenda [...]. A excitação cresceu e, entre fumaça e suor, o acampamento irrompeu em ruídos: os gritos e berros dos arrependidos, os bebês chorando, os gritos estridentes das crianças e os relinchos dos cavalos.
>
> Então os turbulentos "exercícios" corporais começaram. Junto com os gritos e choros, alguns começaram a cair ao chão. Alguns só sentiam fraqueza nos joelhos ou tontura (inclusive o governador James Garrard). Outros caíam, mas permaneciam conscientes ou tagarelando; uns poucos entraram em inconsciência profunda, exibindo os sintomas de ataque epiléptico ou algum tipo de histeria. Embora apenas uma minoria houvesse caído, algumas partes do terreno ficaram cobertas de corpos como um campo de batalha.
>
> Alguns foram atendidos no local onde haviam caído; outros foram levados a um local conveniente, onde as pessoas se reuniam ao redor para orar e cantar hinos. "Se eles [os que caíram] falam", relatou um dos participantes, "o que eles dizem, em tom muito solene e comovente, é escutado — vários são afetados por tais exortações [...]".
>
> No início da manhã de domingo reinava uma calma relativa, apesar de alguns terem ficado acordados na maior parte da noite. O propósito central da reunião — a Comunhão — ocorreu, como programado, na casa de culto. O ministro de uma congregação vizinha pregou o tradicional sermão ao ar livre, e então aqueles com as fichas [*tokens*] de Comunhão entraram para receber o

96 QUANDO FOI QUE COMEÇAMOS A NOS ESQUECER DE DEUS?

sacramento. As mesas, dispostas na forma de uma cruz nas naves laterais, provavelmente podiam acomodar cem pessoas de cada vez. Durante as horas que se seguiram, centenas foram servidas. [O ministro John] Lyle escreveu que tinha "visões mais claras das coisas divinas do que [...] antes" ao participar, e que se sentia "incomumente sensível" ao falar.[1]

O objetivo ao relatar essa história não é sugerir que devamos tentar criar serviços de Comunhão emocionalmente extravagantes como esse. Obviamente, esse foi um momento único na história da igreja nos Estados Unidos. Mas o que me impressiona é a reverência e seriedade com que os crentes encaravam a Comunhão, uma reverência e seriedade raramente vistas hoje em dia.

O estado deteriorado dos sacramentos

Vou iniciar esclarecendo o uso que faço do termo *sacramento*. Algumas igrejas evangélicas chamam a Ceia do Senhor e o batismo de *ordenanças*, para indicar que são ações nas quais Jesus nos manda participar e que sinalizam nossa fé em Cristo e obediência a ele. O termo *sacramento* inclui essas duas ideias e mais outra crucial: a de que eles são meios da graça. Com "meios da graça" não estou propondo nenhuma teologia específica — quer transubstanciação ou consubstanciação, quer presença real ou simbólica. Mas, para todos os crentes, Comunhão e batismo são práticas em que a fé é aprofundada e fortalecida, e esse tipo de experiência só acontece pela graça de Deus. É isso o que quero dizer com "meios da graça" neste capítulo, e é por isso que usarei a palavra *sacramento* para falar deles.

O QUE ACONTECEU COM A COMUNHÃO? **97**

Como já afirmei, acredito que esses sacramentos estão em estado profundamente deteriorado em diversas áreas da vida da igreja evangélica.

Consideremos o batismo. Mesmo entre igrejas que acreditam que Mateus 28.19 é o grito de guerra da igreja ("vão e façam discípulos de todas as nações, *batizando*-os"), o sacramento não é mais central para sua missão. Não é fácil encontrar estatísticas para demonstrar o problema, mas uma historieta sugere que é um problema sério. Pertenço a uma igreja anglicana em Wheaton, Illinois, que se reúne perto da Wheaton College. O canto carismático e a pregação centrada na Bíblia levam vários estudantes da Wheaton College a assistirem ao culto e a se tornarem membros da igreja. Entretanto, para participar da Comunhão, assim como para se tornar membro, é preciso ter sido batizado. Os pastores não raro ficam surpresos com o número de estudantes da Wheaton College — sem dúvida alguns dos jovens mais sérios, devotos e inteligentes do mundo evangélico — que ainda não foram batizados. Seria de se pensar que suas igrejas teriam cuidado dessa questão muito tempo antes de eles saírem da casa dos pais para irem para a faculdade.

Outro sinal do problema é o medo profundo que alguns evangélicos têm de que o batismo possa ser algo além de um símbolo ou uma declaração. Estive em uma igreja independente em Dallas, Texas, em um domingo em que cerca de quatrocentas pessoas estavam sendo batizadas. Isso diz muito sobre a amplitude de seu alcance e de seu desejo de obedecer aos mandamentos do Senhor. Como parte do culto, quatro ou cinco pessoas subiam ao palco e eram entrevistadas pelo pastor, que as ajudava a dar seu testemunho. E, ao final de cada testemunho, a última pergunta que o pastor

98 QUANDO FOI QUE COMEÇAMOS A NOS ESQUECER DE DEUS?

fazia era: "Mas você não acredita que o batismo vai salvá-lo, acredita?". O jeito solene como ele fazia essa pergunta me sugeriu que o pastor tinha sério receio de que o sacramento pudesse ser algo além de meramente simbólico. E o fato de que ele também perguntasse isso imediatamente antes de cada pessoa ser batizada contribuía muito para assegurar que o sacramento permanecesse relacionado ao horizontal — uma mostra da fé da pessoa aos outros —, em vez de permitir a possibilidade de que Deus pudesse interferir e abençoar o receptor.

A Ceia do Senhor encontra-se em estado ainda pior. Perdi a conta do número de novas igrejas evangélicas — que, repito, estão buscando sinceramente atingir o mundo em nome de Cristo — cuja prática da Comunhão é francamente um sacrilégio. É preciso reconhecer que, sim, estão indo em busca dos perdidos e derrubando barreiras culturais e religiosas desnecessárias. E devemos também louvá-las por ao menos oferecer a Comunhão. Mas, em várias igrejas, a Comunhão é apresentada durante o ofertório em uma mesinha contendo suco e bolachas nos corredores laterais para aqueles que se sentem inclinados a participar. Às vezes é acompanhada pelas Palavras da Instituição, mas às vezes não.

A ideia da *Comunhão* — do corpo de Cristo ser compartilhado com outros em uma ordenança do Senhor — perde-se completamente, sem mencionar a perda de qualquer esforço coordenado pelos líderes de culto em ressaltar o motivo pelo qual o sacramento é um componente central da vida cristã.

Em contraste com as igrejas evangélicas do final do século 18, quase não é preciso dizer que poucas congregações evangélicas, ou mesmo nenhuma, dedicam hoje um fim de semana inteiro para preparar-se para a Comunhão e depois

O QUE ACONTECEU COM A COMUNHÃO? **99**

compartilhar dela. Isso seria percebido não apenas como um desestímulo para os não crentes como também um rito sem sentido para os membros da congregação. E, no entanto, foi nas Comunhões que milhares e milhares vieram a conhecer Cristo intimamente pela primeira vez.

Sem dúvida, há igrejas evangélicas hoje, altas e baixas, anglicanas e batistas, que levam a Ceia do Senhor muito a sério. Não importa qual seja a teologia do sacramento, elas dirão que ele continua sendo um meio pelo qual são tiradas de si mesmas para se lembrar daquele que veio não só para lhes dar sentimentos espirituais afirmativos, mas que morreu crucificado por seus pecados e ressurgiu para sua salvação.

Devemos nos lembrar daquilo em que insistem nossos irmãos e irmãs batistas: essas são práticas *ordenadas por nosso Senhor*: "Vão [...] batizando-os em nome do Pai, do Filho e do Espírito Santo" e "Façam isto em memória de mim". Não acredito que o evangelicalismo irá se recuperar de seu torpor espiritual e fascinação pelo horizontal enquanto não voltar a praticar regular e respeitosamente, com seriedade e devoção, os sacramentos do batismo e da Ceia do Senhor. Ou seja, até que obedeçam aos claros mandamentos do Senhor.

Quanto ao caminho a seguir — bem, muito depende da teologia do batismo e da Ceia do Senhor de cada igreja em particular. Mas gostaria de me arriscar a fazer algumas sugestões.

Em primeiro lugar, não acho que nenhuma teologia esclarecida da Comunhão faria dela um ato individualista como se tornou em algumas igrejas. Simplesmente se recusar a oferecer a Comunhão a não ser que seja parte do culto e todos sejam convidados — é um começo.

Apesar de tudo, uma igreja pode muito bem oferecer um retiro de fim de semana em que o foco é a Comunhão — com

100 QUANDO FOI QUE COMEÇAMOS A NOS ESQUECER DE DEUS?

ensinamentos e momentos de oração para preparar-se — e o ponto culminante sendo o recebimento do pão e do cálice.

Quanto ao batismo, vamos insistir em que, assim que possível, quando bebês ou depois da conversão (seja qual for sua teologia), obedeçamos à clara ordem de nosso Senhor para que batizemos. E então, quando batizarmos, não atrapalharemos esse ato, explicando-o em excesso ou negando-o. Há um tempo e lugar adequados para ensinar a teologia do batismo da igreja, mas, durante o batismo, devemos deixar a força visual do sacramento falar por si. Pode-se acreditar que o batismo como tal não possui eficácia decisiva e, ainda assim, reconhecer que é um símbolo poderoso.

No contexto deste livro, uma razão pela qual defendo a participação regular e reverente nos sacramentos é porque, como observei acima, eles exigem que olhemos para o que está acontecendo no altar ou mesa de Comunhão ou nas águas do batismo. Precisamos olhar para fora de nós mesmos, para os meios físicos pelos quais Cristo abençoa seu povo. Em vez de nos incentivar a refletir sobre os sentimentos que ocorrem dentro de nós ou a olhar para os outros ao nosso redor, os sacramentos exigem que, ainda que brevemente, voltemos o foco para Deus e para o que ele fez por nós por meio de Jesus Cristo.

8
De volta à Bíblia

Certo domingo, quando eu morava em Fresno, Califórnia, decidi visitar duas igrejas de estilos contrastantes. A primeira era a maior igreja presbiteriana da cidade. A segunda era a maior igreja da Assembleia de Deus. Ambas eram consideradas evangélicas em doutrina e espírito. Na presbiteriana, eu esperava um culto silencioso e reverente, mas, em vez disso, fui submetido a, entre outros momentos de descontração, uma representação humorística do futuro programa de férias da escola bíblica, que despertou grande alegria. Na Assembleia de Deus, esperava um culto animado, mas me vi em um culto reverente do início ao fim.

O que me surpreendeu em ambas foi quão pouco as Escrituras eram lidas. Um culto presbiteriano geralmente contém leituras do Antigo Testamento, de Salmos, das Epístolas e dos Evangelhos; aquele culto incluiu apenas dois versículos de uma das cartas de Paulo. O culto da Assembleia de Deus apresentou uma longa leitura do Novo Testamento, mas nada de qualquer outra parte da Bíblia.

Tive uma experiência semelhante em Dallas em certo domingo. Visitei uma igreja cujo pastor era famoso pela pregação bíblica expositiva, mas a leitura das Escrituras do dia se limitou a dois versículos.

E não é incomum, em igrejas evangélicas, que o pregador use a Bíblia meramente como ponto de partida para falar sobre algum outro tema considerado urgente ou relevante — por

102 QUANDO FOI QUE COMEÇAMOS A NOS ESQUECER DE DEUS?

exemplo, como ter um casamento sólido, como lidar com as finanças ou o que fazer com a injustiça racial.

Tais sermões invocam versículos da Bíblia que parecem tratar de questões práticas, mas, se analisarmos o sermão, perceberemos rapidamente que os versículos são mera ornamentação. Isto é, se eliminarmos os versículos, o conteúdo do sermão não mudará realmente. O que o pregador fez foi simplesmente dar conselhos que são de senso comum, conselhos que estão disponíveis a qualquer um que se interesse pelo assunto.

É bom que as igrejas deem bons conselhos sobre questões práticas e nos incentivem a trabalhar na arena pública. Sabedoria na vida cotidiana é algo de que todos precisamos, e não é difícil ver como isso pode ser um chamariz para convidar para o culto a pessoa que não frequenta a igreja. E não é de surpreender que esses conselhos práticos sejam amparados por alguns versículos da Bíblia. Mas, sejamos honestos: se a parte principal de tais sermões fala do que devemos e não devemos fazer, o ensinamento se refere sobretudo a nós, e a Bíblia se transforma em um livro que trata principalmente de nós e do que devemos fazer.

Em vista desse fenômeno nas igrejas evangélicas, é preciso que nos lembremos sempre de que a Bíblia, em primeiro lugar e acima de tudo, diz respeito a Deus. Como Deus criou o mundo. Como Deus chamou Abraão, redimiu o povo escolhido da escravidão no Egito, mandou-os para o exílio, e então os resgatou novamente. Como Deus veio a nós em Jesus Cristo para morrer e ressuscitar por nossa causa. Como Deus nos enviou o Espírito Santo e prometeu levar a história a uma conclusão gloriosa. Acreditamos que a Bíblia é "a revelação de Deus", e com isso queremos dizer duas coisas: é revelada *por Deus*, e é a revelação de *quem Deus é*. A Bíblia trata de Deus.

DE VOLTA À BÍBLIA **103**

Infelizmente, isso não fica claro para quem visita pela primeira vez muitas igrejas evangélicas, nem se torna mais evidente com o decorrer do tempo. Como já escrevi, nós também muitas vezes usamos a Bíblia meramente como um ponto de partida para falar sobre nós mesmos.

Nos pequenos grupos, a Bíblia costuma ser usada como introdução para nos levar a falar sobre nossa vida interior. Nesse aspecto, confesso-me envergonhado. No início de meu ministério, em inúmeras vezes me vali das dicas sobre como liderar pequenos grupos de estudos bíblicos fornecidas por livros que tratavam dessa técnica. Assim, ao lermos sobre Jesus acalmando a tempestade em Marcos 4, é claro que a primeira pergunta era "Quais são as tempestades em sua vida?". Falávamos sobre nós mesmos durante cerca de uma hora e então encerrávamos com uma breve oração pedindo a Jesus que acalmasse nossas tempestades. Mas o que tornava as noites interessantes para todos nós, o chamariz que fazia com que voltássemos a cada semana, era que nos víamos na companhia de pessoas que gostavam de falar sobre elas próprias e suas lutas.

Essa disfunção foi constrangedoramente reveladora para mim certa noite, enquanto orientava um pequeno grupo de refugiados do Laos em um estudo bíblico sobre Marcos 4. Nossa igreja os havia apoiado em sua viagem para os Estados Unidos em busca de refúgio, e eles estavam interessados em se tornar membros da igreja. Eu estava orientando-os por meio do Evangelho de Marcos para assegurar que eles entendessem Jesus, com quem estavam prestes a se comprometer. Depois de lermos a passagem em voz alta em inglês e laociano, resumi a história e então fiz a primeira pergunta: "Quais são as tempestades em sua vida?". A tradutora fez a pergunta em laociano, mas todos pareceram ficar perplexos.

104 QUANDO FOI QUE COMEÇAMOS A NOS ESQUECER DE DEUS?

Então expandi a pergunta. "Quais são as tempestades em sua vida, as questões que os perturbam, que os deixam confusos, preocupados?" Mais uma vez, expressões de incompreensão. Aí eles começaram a conversar entre si em tons enfáticos. Perguntei à tradutora o que estava acontecendo. Ela explicou que eles estavam se perguntando se Jesus havia realmente acalmado uma tempestade.

Respondi: "Acalmou, sim". Mas eu não queria me envolver com problemas de milagres e a discussão intelectual sobre isso. Queria passar a conversa para algo pessoal e prático. Então falei algo do tipo: "Mas aquilo em que realmente deveríamos pensar é em como Jesus pode acalmar as tempestades em nossa vida".

Houve uma pausa enquanto eles absorviam essa ideia, e então um dos homens, por meio da tradutora, falou, com uma boa dose de admiração na voz: "Se Jesus acalmou uma tempestade, ele deve ser uma pessoa muito poderosa".

Fiquei aturdido e bastante constrangido. Eles haviam captado o significado real dessa passagem no Evangelho de Marcos. Marcos já havia mostrado, entre outras coisas, que Jesus tem autoridade para perdoar os pecados (Mc 2.1-12), é senhor do sábado (Mc 2.23-28) e tem autoridade sobre o mundo dos demônios (Mc 3.20-30). Em Marcos 4, o autor bíblico está mostrando que Jesus é Senhor de toda a criação — até mesmo o vento e os mares lhe obedecem.

Marcos quer nos falar sobre Jesus. Eu queria falar sobre nós, e estava adaptando Marcos para que se encaixasse em meus planos. Infelizmente, nós, pastores e professores, somos tentados a fazer isso com demasiada frequência.

E nos indagamos por que tantas de nossas igrejas se caracterizam por um deísmo terapêutico moralista, um termo

DE VOLTA À BÍBLIA **105**

cunhado pelo sociólogo Christian Smith para resumir as crenças latentes de centenas de jovens evangélicos que ele estudou no início do século 21. Apesar de sua ligação formal com igrejas que, em outros aspectos, são ortodoxas em termos bíblicos, o que a juventude realmente acreditava era que Deus raramente, ou mesmo nunca, se envolvia na vida cotidiana — mais semelhante ao Deus deísta de muitos dos pais fundadores dos Estados Unidos, que acreditavam que Deus deu início ao universo assim como uma pessoa dá corda a um relógio e então simplesmente o deixa andar sozinho. Mas, o que é mais relevante aqui: o principal propósito da fé para esses jovens era ensinar às pessoas como viver corretamente (moral) e dar-lhes consolo e força nos desafios da vida (terapêutico). Smith concluiu que esses jovens foram educados em igrejas em que a maior parte do ensinamento e pregação se concentrava nessas questões.[1]

Procurando por Cristo em todos os tipos de passagens

Para neutralizar essa disfunção, vários estudiosos e professores evangélicos se encantaram com a leitura histórico-crítica das Escrituras. Lembro-me claramente de como meus professores em Fuller zombavam do que chamavam de "leitura espiritual" de uma passagem, em que os leitores procuram imediatamente a lição espiritual de um texto antes de considerar as questões de contexto e propósito literário. A leitura histórico-crítica (em todas suas diversas disciplinas: crítica formal, crítica textual, crítica retórica, etc.) nos ajuda a sair de nós mesmos e nos incentiva a ler a Bíblia pelas lentes dos autores bíblicos originais, a discernir a intenção *deles* em vez da nossa própria ao ler as Escrituras.

106 QUANDO FOI QUE COMEÇAMOS A NOS ESQUECER DE DEUS?

Esse método, desenvolvido pela primeira vez no século 19 entre liberais europeus e americanos, ganhou a preferência de vários pastores e professores evangélicos. E por bons motivos: ele realmente nos deu ideias perspicazes sobre o significado de muitas passagens das Escrituras. Vemos agora mais claramente, por exemplo, como o escritor de cada Evangelho criou sua obra de modo a ressaltar aspectos únicos da vida e ministério de nosso Senhor — como Mateus estruturou seu Evangelho para mostrar Jesus como o cumprimento da Lei e dos Profetas, como Lucas enfatiza o papel das mulheres e da misericórdia, como João apresenta um Cristo cósmico, e assim por diante.

Ajudou-nos também a utilizar de modo mais inteligente o Antigo Testamento, a entender os contextos religiosos e políticos mais amplos que nos auxiliam a ver a singularidade da revelação de Deus a Israel — quão singular, por exemplo, era o monoteísmo radical de Israel em um mundo saturado de politeísmo.

Entretanto, essa ênfase não raro nos leva a um rumo estranhamente semelhante ao da leitura terapêutica a que somos tentados. A leitura terapêutica se concentra em nós à custa de Deus; a leitura histórico-crítica enfatiza tanto o histórico (o contexto da passagem original) e o crítico (o que vários estudiosos dizem sobre uma passagem) que Deus se torna um figurante outra vez. Assim, somos tentados a passar um tempo excessivo explicando as diversas fontes do Pentateuco, ou rotulando cada salmo, ou dividindo Isaías em duas ou mesmo três partes, ou debatendo a historicidade de Jó ou Jonas em vez de dialogar com o que esses textos dizem sobre Deus.

Certa vez preguei sobre uma passagem de Jonas para uma congregação que havia sido ensinada com o método histórico-crítico pelo pastor anterior. Mas ignorei completamente a

DE VOLTA À BÍBLIA **107**

questão histórico-crítica em meu sermão — nem defendi a historicidade de Jonas, nem a neguei. Em vez disso, enfoquei o significado teológico da história. Após o sermão, um senhor idoso culto me repreendeu por tratar a narrativa de Jonas como história. Sua mente não conseguia abandonar a questão histórico-crítica para escutar o que o livro de Jonas nos diz sobre a misericórdia de Deus.

Diga-se, em minha defesa, que, quando eu estava ensinando meus amigos laocianos sobre Jesus acalmando a tempestade, pelo menos procurava evitar ser tragado pelo turbilhão de debater a natureza e a possibilidade de milagres na Bíblia. Assisti a incontáveis sermões em contextos liberais em que o pastor se esforçava por demonstrar que um milagre bíblico podia ser explicado cientificamente ou racionalmente — alimentar cinco mil pessoas não se referia à multiplicação milagrosa dos pães e peixes, mas ao milagre de pessoas compartilharem umas com as outras; as doenças que Jesus curou não eram físicas, mas psicossomáticas, e assim por diante.

Felizmente, cada vez mais estudiosos e professores evangélicos estão voltando ao método de interpretação que os primeiros cristãos usavam: a interpretação cristocêntrica. Essa abordagem, por mais paradoxal que isso pareça, nos dá a liberdade de ler as Escrituras tanto histórica quanto criticamente, e no tempo e lugar certo, até mesmo terapeuticamente. Isso porque o foco central desse método permanece em Cristo.

O mais interessante e persuasivo defensor dessa leitura das Escrituras é Hans Boersma. Seu livro *Scripture as Real Presence* [As Escrituras como presença real] descreve "presença real" simplesmente como: "Tudo ao nosso redor é sacramental, no sentido de que tudo o que Deus criou aponta para ele e o torna presente".[2] E depois: "As Sagradas Escrituras também são um

108 QUANDO FOI QUE COMEÇAMOS A NOS ESQUECER DE DEUS?

sacramento, na medida em que tornam Cristo presente para nós".[3] Em outras palavras, não importa onde estejamos nas Escrituras, elas são um meio de encontrar Jesus.

Ele contrasta isso com a exegese histórica:

> A fraqueza da exegese histórica, todavia, é que ela não trata o Antigo Testamento como um sacramento [...] que *já contém* a realidade do Novo Testamento [...] de Cristo. Ou, como Ireneu e outros diriam, a exegese histórica estrita não vê Cristo como o tesouro escondido no campo do Antigo Testamento (Mt 13.44) e, portanto, como já realmente presente dentro dele.[4]

O argumento é mais complexo e matizado, mas alguns exemplos podem nos ajudar a ver a riqueza dessa abordagem. Por exemplo, podemos ler uma passagem como Isaías 7.14 — "Por isso, o Senhor mesmo lhes dará um sinal. Vejam! A virgem ficará grávida! Ela dará à luz um filho e o chamará de Emanuel (que significa 'Deus conosco')" — sem ficarmos enredados na discussão sobre se o hebraico original queria dizer "moça" ou "virgem". Podemos reconhecer que provavelmente, no contexto original, Isaías só imaginou que uma jovem mulher pudesse gerar um filho e que, com uma leitura cristocêntrica das Escrituras, Mateus captou uma dimensão mais profunda da profecia precisamente pelo modo como Deus se revelou na Virgem Maria e por meio dela.

Ou então consideremos o Domingo de Páscoa. Com muitos visitantes anuais ou bianuais na congregação, pensamos de imediato que nossa função é defender a historicidade da ressurreição e, assim, o sermão de Páscoa se torna uma defesa racional disso, o maior de todos os milagres bíblicos, e o foco do sermão centra-se em questões históricas e racionais.

DE VOLTA À BÍBLIA **109**

Acredito, sem dúvida alguma, na ressurreição corporal de Jesus, e acho que é possível reunir sólidos argumentos históricos para a defesa dessa crença. Apesar disso, depois de termos reunido sólidos argumentos em defesa da historicidade da ressurreição, vários ouvintes dão de ombros e dizem: "Acho que isso faz sentido", mas não sabem o que fazer com essa informação. Tenho encontrado muitas pessoas que não sentem dificuldade em aceitar que Jesus ressuscitou dos mortos e, ainda assim, não têm nenhuma ideia de por que esse acontecimento é tão revolucionário.

Em vez disso, deveríamos enfatizar *o significado* da ressurreição — o que ela nos diz sobre Jesus Cristo, como fazem os autores bíblicos —, e que, quando as pessoas saem no meio de nossos sermões de Páscoa, elas estão lutando contra o senhorio de Cristo. Deveríamos apresentar o significado da ressurreição de modo tão claro que elas soubessem que, se acreditarem, terão de dobrar os joelhos, arrepender-se e proclamar que Jesus é Senhor. Não será tanto um exercício intelectual interessante quando um momento definidor da vida.

A questão é esta: a leitura cristocêntrica clássica das Escrituras pode nos salvar tanto do narcisismo quanto do intelectualismo que, cada um a seu modo, nos tentam a colocar o foco em tudo exceto no próprio Cristo. Sem dúvida, não podemos ignorar as questões históricas e literárias que cercam os textos bíblicos. E, no final das contas, o ensinamento bíblico mudará nossa vida. Mas, se não lermos a Bíblia em primeiro lugar e acima de tudo como um relato do que Deus é e do que ele fez por nós em Cristo, apenas perpetuaremos o cristianismo horizontal que se tornou tão característico da fé evangélica e que é, na verdade, a morte da fé.

9

E agora, a estrela de nosso espetáculo...

Aqui está a ilustração mais inesquecível e menos eficaz que já usei em um sermão:

Certo dia minha esposa e eu estávamos discutindo sobre algo — o motivo exato já foi esquecido há muito tempo. Durante a discussão — provavelmente quando ela estava levando a melhor —, fiquei tão frustrado que dei um soco na parede da sala de jantar. A parede não se moveu, é claro, mas eu esperava, no mínimo, abrir um buraco na placa de gesso acartonado. Por um capricho do destino, o local que soquei com toda força estava apoiado em uma viga de madeira. Digamos apenas que doeu bastante...

Nós dois ficamos em silêncio depois disso, e comecei a varrer a cozinha e sala de jantar (estávamos em reformas na época). Logo ficou claro que havia algo de errado com minha mão, porque eu mal conseguia segurar a vassoura.

Minha esposa notou que eu estava sentindo dor e que minha mão não parecia bem. Levantou-a delicadamente para observar. "Acho que está quebrada", ela disse. "Precisamos ir ao pronto-socorro." O diagnóstico dela foi logo confirmado pela equipe médica da clínica.

A partir do momento em que ela olhou para minha mão, não havia mais raiva, ressentimento ou superioridade moral da parte dela — todos esses sentimentos teriam sido

E AGORA, A ESTRELA DE NOSSO ESPETÁCULO... **111**

plenamente justificados. Ela só se preocupou com meu bem-
-estar. Sabia muito bem que alguma parte de mim queria ba-
ter nela ao socar a parede, mas, em vez disso, concentrou-se
no fato de que eu descarregara a raiva em outro lugar em vez
de nela e agora estava sentindo fortes dores em resultado da
minha estupidez.

Usei essa história em um sermão sobre a graça. Essa foi a
ilustração final, elaborada para transmitir a verdade de que
Deus nos trata com bondade e graça mesmo quando nos mos-
tramos hostis e zangados, mesmo em relação a ele. Achei que
fosse a ilustração perfeita.

Acontece que muito poucos ouvintes entenderam assim.
Os comentários depois do culto e durante algumas semanas
depois dele foram de três tipos:

"Obrigado por demonstrar vulnerabilidade ao compartilhar essa história."

Ou, em voz baixa, para que ninguém mais pudesse escutar:
"Fiz isso também, mas não tive coragem de contar a ninguém".

Por fim, é claro: "Essa história foi tão engraçada!".

Ninguém me disse que, em resultado dessa ilustração,
havia entendido melhor a graça de Deus. Ninguém.

Mas entenderam melhor a *mim*. Aprenderam algo sobre
minha raiva. A reforma da *minha* casa. Sobre *minha* esposa e
meu casamento. E se divertiram. Pelos padrões contemporâneos, funcionou: foi instigante; foi engraçado; os ouvintes se
lembraram durante semanas, até mesmo anos.

Só que se lembraram do tópico errado. Lembraram-se de
mim. Não se lembraram de forma alguma da graça de Deus,
pelo que pude perceber. Em decorrência, concluí que aquela
foi a pior ilustração que eu poderia ter usado.

O problema é o seguinte: esse tipo de ilustração de sermão

é a ordem do dia na pregação evangélica. E essa é uma das razões pelas quais a pregação evangélica está em maus lençóis.

O sermão é um momento durante a semana em que temos a oportunidade de ouvir sobre algo além de nós mesmos, além do horizontal. É quando escutamos sobre Deus e as maravilhas e mistérios de seu amor, sobre o que ele fez para nós em Cristo. Mas, cada vez mais, a pregação evangélica se transformou em outra forma de falarmos sobre nós mesmos e, nesse caso, de aprender sobre o pregador.

Mais uma vez, em nome de se identificar com a cultura, o mundo do entretenimento se tornou o modelo para nós, do início ao fim. O sermão em muitas igrejas evangélicas representa um cruzamento entre um comediante contando piadas no palco e os monólogos de abertura dos programas de entrevista e comédia da televisão. A ideia é ser "autêntico" — isto é, natural e improvisado — e, para completar, engraçado.

Isso, é claro, é extremamente ingênuo, porque com certeza aqueles monólogos de abertura não são improvisados. A fala do comediante, assim como sua imagem, são criadas e aperfeiçoadas ao longo de meses ou anos de prática. Apresentadores e comediantes de programas noturnos de televisão são divertidos, não há dúvida. Mas são divertidos exatamente porque são tudo menos autênticos. Ao contrário: treinam muito para desempenhar sua profissão.

O sermão evangélico imita tudo isso, mas sem o uso de um teleponto e sem repetir o mesmo truque que foi aprimorado ao longo de meses de apresentações. Muitas vezes não há palanques ou púlpitos, nem notas, sem mencionar um manuscrito do sermão. Pode ter certeza, contudo, que o pregador ou a pregadora praticou o sermão e memorizou as melhores frases,

E AGORA, A ESTRELA DE NOSSO ESPETÁCULO... **113**

assim como os gestos certos para os momentos certos — tudo de forma a parecer autêntico ou autêntica.

Não é apenas o cenário, mas o conteúdo que comunica a questão mais preocupante: que o sermão se refere, no fim das contas, totalmente ao horizontal. Em vista da extensão do sermão e do método de expressão e das ilustrações muito pessoais para transmitir a mensagem, tudo leva a um foco não intencional naquele que está pregando.

Deixem-me enfatizar a expressão *não intencional*, porque duvido que muitos pregadores empreguem esse estilo de pregação contemporâneo para exaltar a si mesmos. Esses homens e mulheres amam a Deus e se esforçam por torná-lo conhecido. O que não reconhecem é que o estilo que empregam frustra seus desejos.

Consideremos o método de proferir o sermão — frequentemente sem um púlpito (na melhor das hipóteses, um atril transparente), muitas vezes andando de um lado para o outro pelo palco durante a pregação, e isso ao longo de trinta a quarenta e cinco minutos, pelo menos metade ou mesmo até 75% do tempo de culto. O que tudo isso comunica é que o pregador é, de longe, a pessoa mais importante na sala. O pregador é a pessoa pela qual ficamos fascinados durante a maior parte do culto.

Não havia percebido quão importante teologicamente era o púlpito tradicional até receber um comentário depois de ter pregado um sermão como convidado. A equipe pastoral da igreja gostava de pregar do centro do palco e ficar andando de um lado para o outro durante o sermão, no estilo de comediantes de palco. Eu, contudo, fiquei atrás de um púlpito improvisado, um atril de madeira apoiado sobre uma mesinha.

114 QUANDO FOI QUE COMEÇAMOS A NOS ESQUECER DE DEUS?

Fiz isso sobretudo por motivos práticos: dependo muito de anotações ou manuscritos, e não me afasto deles.

Após o sermão, um homem me falou: "Obrigado por pregar do púlpito". Quando lhe perguntei por que, ele explicou: "O púlpito nos lembra de que a autoridade do pregador não vem do pregador e de sua personalidade. O púlpito é o símbolo de que a autoridade do sermão deriva da igreja, cuja autoridade, por sua vez, deriva das Escrituras".

Ponderando nesses comentários durante semanas, entendi o quanto um sermão sem púlpito e, especialmente, um sermão proferido em estilo de comediante de palco, cumpre um trabalho excelente em entreter as pessoas e tornar o pregador, e não a Palavra pregada, o centro da atenção.

Acrescente-se a isso o problema do conteúdo. Podem estar certos: Jesus ainda é pregado em muitas igrejas evangélicas. Mas nem sempre, e nem sempre dando a ele o maior destaque.

Nós, evangélicos, somos loucos pelo sermão prático que nos diz como viver para Jesus. Com frequência demasiada, porém, o prático expulsa o bíblico. Um sermão sobre "Cinco Modos de Manter seu Casamento Forte" pode mencionar Jesus ou a Bíblia aqui e ali. No entanto, tirando essas referências, o conteúdo do sermão permanece o mesmo: psicologia relacional prática. Em uma linha semelhante, escutamos sermões sobre como gerenciar nossas finanças com as principais ideias retiradas da literatura de autoajuda financeira, adornadas com versículos de Provérbios. E há também sermões sobre a educação dos filhos, sobre encontrar a carreira ideal e sobre trabalhar contra o aborto e assim por diante.

Tais sermões estão repletos de conselhos úteis e sábios, e precisamos de conselhos úteis e sábios sobre diversos assuntos. A questão é: será que isso é o que temos de mais vital e importante para comunicar *no culto*? O único dia na semana em que nos reunimos para louvar e glorificar ao Deus e Pai de nosso Senhor Jesus Cristo — será que isso é realmente o mais importante a dizer? Será que esgotamos os tesouros e as maravilhas da Palavra de Deus? Dissemos tudo o que podíamos dizer sobre as glórias da salvação? Ou estamos entediados de falar sobre Deus e, por isso, voltamos sempre a falar sobre nós mesmos e como tornar nossa vida mais controlável?

Um sinal de que somos profundamente tentados pela horizontalidade em nossa pregação é o número de ilustrações que os pregadores usam sobre sua própria vida. Houve um tempo em que os pregadores eram fortemente desencorajados a usar sua vida como ilustrações de sermões. Entretanto, em algum momento na década de 1960, isso começou a mudar. A ideia era mostrar aos ouvintes que o pregador não era diferente dos ouvintes e enfrentava os mesmos desafios, dificuldades e tentações que todos os outros. Isso fez com que os ouvintes se tornassem mais atentos e satisfeitos, pois agora sentiam que podiam se conectar psicologicamente com o pregador.

Hoje em dia, não é raro escutarmos um sermão em que a abertura, o encerramento e a ilustração-chave do principal tema do sermão são extraídos da vida e experiência do pastor e sua família. Tais sermões cumprem um papel maravilhoso em ajudar os ouvintes a se conectar ao pastor. E os pastores continuam usando-os precisamente porque, quando as pessoas saem do culto e os cumprimentam, referem-se a como o sermão foi maravilhoso com comentários como: "Adoro escutar sobre sua família" e "Seus filhos são um amor" e "Eu me identifico muito com o senhor".

Sério? Queremos que nossas congregações se identifiquem *conosco*? É exatamente esse o problema das ilustrações pessoais:

elas lançam os holofotes sobre o pregador, ainda que de modo não intencional. Dentro de poucos meses de pregação desse tipo, todos conhecem as peculiaridades de cada membro da família do pastor, os triunfos e fracassos em pontos fundamentais de sua vida, as paixões e antipatias do pastor, e assim por diante. No final, eles sabem mais sobre o pastor do que sobre Jesus.

Alguns pastores defendem essa prática dizendo que usam apenas exemplos negativos deles mesmos, falando sobre como fracassaram em viver à altura do chamado de Cristo. O que não parecem compreender é que isso apenas eleva ainda mais seu *status* em relação à congregação. Invariavelmente, as ilustrações giram em torno de um momento iluminador, quando o pregador reconheceu uma falha e mudou de direção. Então agora o pastor é um modelo de humildade! E mesmo que ele diga: "Ainda luto contra isso", ou ninguém realmente acredita nisso, ou os crentes o exaltam como modelo de seriedade espiritual.

Em suma, é muito difícil usar uma ilustração da vida pessoal sem desviar o foco dos ouvintes de Jesus, o autor e aperfeiçoador de nossa fé. Esse papel agora foi absorvido pelo pregador, que depende da ilustração pessoal para tornar o sermão relevante.

Demasiados pastores evangélicos se viciaram em usar ilustrações pessoais porque, vamos falar a verdade, eles gostam das reações que obtêm. As pessoas apertam a mão dos pastores depois do culto e lhes dizem o quanto gostaram daquela pequena história. Sei disso por experiência própria. Os pastores são um grupo solitário e inseguro, e precisamos de apoio tanto quanto todo mundo (e talvez ainda mais). É muito difícil resistir a essa tentação em um tempo em que o pessoal, o íntimo e o autobiográfico estão na ordem do dia em todos os outros lugares.

Não é de admirar que tenhamos deixado de entender essa parte do culto como "adoração": não é mesmo, em muitas de nossas igrejas. Nesse aspecto, agradeço a Deus pelos cânticos de louvor — eles pelo menos impedem que o culto descambe completamente para o horizontal.

O caminho a seguir não é difícil de discernir. Concedam-me o privilégio de ser mais exortativo neste capítulo, pois tenho experiência em pregação.

Em primeiro lugar, precisamos trazer os púlpitos de volta. Eles não precisam ser do tipo que nos lembra as igrejas de outrora. Que tal projetarmos um púlpito contemporâneo, que enfatize o fato de o pregador ter sido contratado por uma igreja e de que o sermão está, no fim das contas, sob a autoridade da igreja — que está inteiramente sob a autoridade de Deus? Algo que diga, em seu estilo, que, neste momento, o sermão — a palavra falada de Deus — não diz respeito ao pregador dessa palavra, mas ao Deus que está junto e acima do pregador.

Segundo, os pastores devem abreviar o sermão, de modo que o culto não seja dominado por uma pessoa e uma voz. Podemos reservar mais espaço para o canto. Reservar mais espaço para a oração. Reservar mais espaço para o silêncio. Talvez reservar mais espaço para a celebração regular dos sacramentos/ordenanças. Em outras palavras, reservar mais espaço para Deus.

Isso significa que as congregações precisam dar ao pastor mais tempo para a preparação do sermão. Por mais difícil que seja de acreditar, leva mais tempo para preparar um sermão curto do que um longo, porque cada palavra e frase se tornam mais densas. Isso exige que o pregador pense com mais cuidado sobre o que manter e o que eliminar.

Terceiro, eu sugeriria que os pregadores suspendessem as ilustrações pessoais — ou, pelo menos, se esforçassem para reduzir o número delas. Os pregadores percebem que se tornaram viciados em ilustrações pessoais no momento em que decidem parar de usá-las. Experimente não usar nenhuma por algumas semanas e verá sua mente se voltar para você mesmo e suas experiências o tempo todo a fim de transmitir uma ideia.

Sim, na cultura da revista *People* e do Facebook — em que morremos de vontade de conhecer os detalhes íntimos da vida dos outros, em que as pessoas não parecem autênticas a não ser que revelem algo de sua vida pessoal — é claro que não conseguimos ser comunicadores eficazes sem cair na ilustração pessoal de vez em quando. As pessoas querem se identificar pessoalmente com os oradores, pregadores e escritores. Então, se queremos ganhar audiência nessa cultura, precisamos oferecer um pouco de nós mesmos. É exatamente por isso que, quando sou pregador convidado em uma igreja, tento incluir uma ilustração pessoal no início de minha fala. Para o bem ou para o mal, isso torna mais provável que a audiência me escute. Essa é também a razão pela qual meu editor me pediu para incluir algumas neste livro.

Então eu entendo. Mas não consigo ver por que os pastores, que dispõem de todo tipo de ocasião além do culto para deixar que a congregação os veja como mais do que pregadores, precisam, semana após semana, inspirar-se na própria vida para transmitir uma mensagem em sermão após sermão. E também tenho visto vários casos em que a história pessoal se torna uma muleta tão importante que um culto à personalidade, devagar mas constantemente, começa a crescer em torno desses pastores.

Parte da razão pela qual os pastores recaem em ilustrações pessoais é pura preguiça — acredite em mim, falo por experiência pessoal com o vício. É muito mais fácil recorrer às nossas lembranças do que ler intensamente. E quando a manhã de domingo se aproxima, é bem mais fácil recorrer à ilustração pessoal.

Parte disso se deve ao fato de que os pregadores não acham que dispõem de tempo para ler ampla e profundamente as fontes, seja em história, política ou teologia. Em decorrência disso, não dispõem de nada armazenado quando se sentam para escrever um sermão. Esse é outro motivo pelo qual as congregações precisam insistir em que os pastores passem entre dez e quinze horas por semana na preparação de um sermão.

Quarto, os pregadores precisam se perguntar no início, meio e fim da preparação do sermão: "Isto se refere principalmente a Deus? Ajuda as pessoas a entenderem melhor quem é Deus e o que ele fez por nós em Cristo? Exalta, em primeiro lugar e acima de tudo, a Cristo?".

Um sinal de quão horizontal nossa fé se tornou é a objeção interna que nossa mente levanta a essa altura: "Sério? Preciso pregar sobre Deus semana após semana? Quer dizer, quanto tempo posso falar sobre Cristo antes de ficar cansativo ou começar a ser repetitivo?".

Como se Deus fosse finito. Como se houvesse um limite do que podemos dizer sobre seus incontáveis atributos. Como se o céu ficasse entediante depois de umas poucas semanas de louvor por havermos esgotado as coisas a louvar.

Existe outra objeção, no entanto, que é boa: "Minha congregação não necessita de orientação sobre como viver em Cristo?". Sim! E quando essa orientação é completa e firmemente baseada no que Cristo é e no que fez por nós, então será mais relevante e significativa do que qualquer outra que possamos elaborar falando sobre nossas necessidades e recorrendo aos episódios mais interessantes de nossa vida.

10

Tornando os pequenos grupos maiores em propósito

Uma das notáveis transformações na vida da igreja ocorreu durante minha vida: o surgimento dos pequenos grupos. Com esse termo quero dizer especificamente crentes que se reúnem regularmente em grupos de seis a doze para ler as Escrituras ou outro material devocional, compartilhar o arco de sua vida espiritual tão intimamente quanto a confiança permite e orar juntos.

Esse movimento começou aos poucos nas décadas de 1950 e 1960 com alguns esforços pioneiros. Aquele que conheci melhor foi o Faith at Work [Fé em ação], cujos líderes, Bruce Larson e Keith Miller, entre outros, ajudaram a dar o exemplo. Essa organização de vida curta inspirava-se no trabalho de Sam Shoemaker, um sacerdote episcopal que acrescentou os Alcoólicos Anônimos ao mapa para as igrejas. Os AA foram a inspiração original para os pequenos grupos nas igrejas, em que a ênfase estava no compartilhamento, por parte dos membros, de suas lutas a fim de receberem apoio e encorajamento uns dos outros.

Minha mãe foi líder local no Faith at Work, e eu ainda me lembro dos desafios e euforia que esses grupos experimentavam. Os desafios geralmente se relacionavam a pessoas que frequentavam um pequeno grupo, mas tinham medo de se abrir e falar de suas lutas. Haviam sido ensinadas a acreditar que a

TORNANDO OS PEQUENOS GRUPOS MAIORES EM PROPÓSITO **121**

vida cristã era sempre vitoriosa. Revelar uma fraqueza, dúvida ou luta não era um sinal de sinceridade, mas de falta de fé.

A euforia se devia ao fato de que muitos cristãos em igrejas devotas se sentiam pela primeira vez livres para reconhecer o que estava realmente acontecendo com eles e encontrar outros cristãos com quem podiam compartilhar sinceramente suas experiências sem serem julgados. Os momentos de testemunho nas conferências regionais da Faith at Work eram eventos comoventes em que as pessoas desfrutavam da liberdade de serem francas sobre sua vida espiritual.

A partir da década de 1970, as igrejas evangélicas começaram a levar mais a sério o valor dos pequenos grupos, em grande parte devido a outro pioneiro, Lyman Coleman. Ironicamente, a explosão de megaigrejas aumentou a demanda por pequenos grupos. Os pastores de igrejas com uma frequência de duas mil ou mais pessoas logo perceberam que precisavam complementar o culto das manhãs de domingo com um instrumento que possibilitasse que as pessoas conhecessem melhor umas às outras.

Hoje em dia, os pequenos grupos são onipresentes na igreja. Sabemos que algo se tornou uma instituição quando os acadêmicos começam a estudá-lo. *Words Upon the Word* [Palavras sobre a Palavra], de James Bielo, é um fascinante estudo etnográfico de pequenos grupos de estudos bíblicos. Ele fez um resumo dos trabalhos de interesse acadêmico no início de seu livro de 2009. Após listar algumas análises do sociólogo Robert Wuthnow, Bielo escreve:

> Wuthnow afirma que, desde a década de 1960, os americanos vêm reorganizando constantemente a busca de integração na comunidade, procurando oportunidades de pequenos grupos em

122 QUANDO FOI QUE COMEÇAMOS A NOS ESQUECER DE DEUS?

vez de estruturas institucionais maiores, mais formais. Dentre esses grupos, o pequeno grupo de estudo bíblico é o mais prolífico na vida americana, com mais de 30 milhões de homens e mulheres participando desses grupos pelo menos uma vez por semana. Vale a pena repetir: nenhuma outra forma de pequeno grupo, religioso ou não, é tão disseminada na vida dos Estados Unidos quanto o grupo de estudo bíblico.[1]

Dado o tema deste livro — o chamado para amarmos a Deus de todo o coração, alma, mente e forças —, eu naturalmente pensei bastante sobre esse fenômeno dos pequenos grupos, que agora se tornaram o principal veículo pelo qual os cristãos leem a Bíblia e crescem na fé. Os ministérios de pequenos grupos estão entre os mais dinâmicos na igreja contemporânea e, portanto, como os líderes dos pequenos grupos sabem muito bem, eles estão repletos de oportunidades de bênçãos e maldições espirituais. Os desafios são analisados de modo mais eficaz por outros que possuem uma vocação mais profunda para esse tipo de ministério. Gostaria de refletir sobre eles aqui do ponto de vista que orienta este livro: como eles promovem o horizontal à custa do vertical.

Se acreditamos que os pequenos grupos são, em primeiro lugar e acima de tudo, um ambiente íntimo para crescer na compreensão das Escrituras e na maturidade em Cristo com os outros, precisamos identificar as formas em que eles são ou não bem-sucedidos. Precisamos reunir três megatendências das últimas décadas para entender o desafio.

A primeira, como já observamos, é a explosão dos pequenos grupos nas igrejas desde a década de 1970.

A segundo megatendência é a multiplicação de traduções da Bíblia. A começar pela tradução do Novo Testamento de

J. B. Phillips, seguido pela *The Living Bible* [Bíblia Viva] e *Good News for Modern Man* [Boas-novas para o homem moderno], vem ocorrendo uma tentativa orquestrada pelas editoras evangélicas de produzir Bíblias que sejam compreensíveis para o leitor comum. O problema que essas publicações procuram enfrentar é o de que cada vez menos pessoas estão lendo a Bíblia. Muitos dizem que não leem a Bíblia porque é difícil demais de entender. A solução dessas editoras é tornar a Bíblia mais fácil de ler. Dessa forma, vimos o lançamento da New King James Version, New International Version, English Standard Version, New Living Translation e The Message, entre outras.[*]

A terceira megatendência é — de acordo com estudos de Pew, Gallup, Lifeway, e Barna — que os americanos em geral e os cristãos em particular estão mais iletrados biblicamente do que nunca. Temos dificuldade em nomear os quatro Evangelhos, quanto mais os Dez Mandamentos; não discernimos a diferença entre histórias do Antigo Testamento e do Novo Testamento, nem a ordem cronológica entre elas; e achamos que citações não bíblicas (do tipo "Deus ajuda quem cedo madruga") estão nas Escrituras. Os professores de faculdades cristãs reclamam cada vez mais de quanto trabalho de reforço no estudo da Bíblia precisam fazer com os calouros de hoje.

Essas tendências se somam da seguinte forma: o declínio do conhecimento bíblico ocorreu durante o mesmo período em que as traduções da Bíblia foram modernizadas e os pequenos grupos de estudos bíblicos floresceram. Parece que

---

[*] Equivalentes no Brasil, respectivamente, são a Almeida Revista e Atualizada, a Nova Versão Internacional, a Nova Almeida Atualizada, a Nova Versão Transformadora e A Mensagem. (N. do E.)

124 QUANDO FOI QUE COMEÇAMOS A NOS ESQUECER DE DEUS?

as duas principais estratégias para estimular o envolvimento com a Bíblia fracassaram.

Sem dúvida, fenômenos de escala tão ampla não podem ser relacionados de modo tão superficial como acabo de fazer, mas isso nos faz parar para pensar. E alguém poderia argumentar que, não fosse pelas novas traduções da Bíblia e os ministérios de pequenos grupos, a situação estaria muito pior em termos de conhecimento bíblico. Pode até ser. Mas suspeito que o problema seja mais profundo, o que sugere como os ministérios de pequenos grupos em particular podem ser adaptados.

Intimidade humana e divina

A necessidade de associações menores tem sido sentida mais profundamente do que nunca. Uma megatendência que estimulou seu crescimento é a rápida expansão da sociedade de massa. Desde a industrialização, nossa cultura se tornou cada vez mais impessoal e de ampla escala. Em vez da pequena escola de idades misturadas, agora frequentamos escolas de ensino fundamental e médio divididas em precisamente doze séries, com algumas escolas de ensino médio nos Estados Unidos tendo mais de oito mil alunos.[2] Uma típica grande universidade atualmente pode ter mais de cinquenta mil estudantes; a Universidade da Flórida Central é a que apresenta o maior número de matrículas em anos recentes, atingindo 68.571 em 2018–19.[3] Poucos de nós hoje em dia trabalhamos em indústrias centradas na família, mas sim em grandes empresas nacionais e globais, como Exxon, Wells Fargo, Apple, Microsoft e centenas de outras empresas transnacionais. Nosso anseio por "economias de escala" vem

TORNANDO OS PEQUENOS GRUPOS MAIORES EM PROPÓSITO **125**

sendo um ideal fundamental no desenvolvimento de megaigrejas e igrejas multilocalizadas.

Levou mais tempo para as igrejas do que para o restante da sociedade sentir a pressão da cultura impessoal porque ainda em meados do século 20 as igrejas permaneciam no centro da vida social para a maioria dos americanos. Entretanto, um número crescente de homens e mulheres do século 20 passou a achar a igreja cada vez menos importante e começou a se afastar. As igrejas viram no pequeno grupo uma forma de reverter essa tendência.

Um líder de pequeno grupo descreveu, em um texto postado em um *blog*, como Lyman Coleman entendia o propósito dos pequenos grupos e como as igrejas adaptaram esse conceito às suas necessidades:

"Nos primeiros dias", diz Lyman, "o movimento de pequenos grupos era primordialmente um movimento secreto. A igreja estabelecida não queria ter nada com ele." Depois, as igrejas começaram a reconhecer os pequenos grupos como "a melhor forma de ir para além das portas da igreja e alcançar as pessoas em dificuldades em nossa sociedade". Coleman sempre quis que os pequenos grupos fossem lugares de atendimento e relacionamentos profundos, onde as pessoas pudessem se integrar e se sentir desejadas, e acredita que grupos saudáveis podem ter o efeito de ajudar a impedir que os crentes abandonem a igreja, mas fica irritado com o fato de os pequenos grupos serem puramente uma estratégia de assimilação. Seus sentimentos são profundos e muito pessoais. "Todas as vezes em minha vida", declarou ele em 1992, "nas épocas em que eu tinha necessidades mais profundas, minhas necessidades não estavam no programa da igreja." Seu sentimento deve continuar a servir como repreensão para nós que somos líderes hoje.[4]

126 QUANDO FOI QUE COMEÇAMOS A NOS ESQUECER DE DEUS?

Assim, embora Coleman tenha iniciado os pequenos grupos sem outra intenção além de reunir pessoas em um cenário mais íntimo, as igrejas começaram a ver sua utilidade para atrair as pessoas para a igreja e mantê-las ali. De qualquer forma, precisamos observar a força emocional propulsora dos pequenos grupos: "lugares de atendimento e relacionamentos profundos, onde as pessoas pudessem se integrar e se sentir desejadas".

Essa é a genialidade dos pequenos grupos. Em vista da crescente alienação trazida pela sociedade de massa, as pessoas precisam de locais onde possam experimentar relacionamentos profundos e se sentir conectadas. Essa é uma das bênçãos de um pequeno grupo ao qual pertenço. O desafio é descobrir como impedir que esse desejo justo se torne um ídolo.

Uma parte do desafio é a ameaça do narcisismo de grupo: revelo um pouquinho de mim de modo que você fique encorajado a revelar um pouquinho de você, e assim o círculo prossegue até que desenvolvamos um nível mais profundo de intimidade. É uma experiência intensa estar em um grupo que atinge níveis cada vez mais profundos de intimidade — a ponto de a intimidade poder se tornar um fim em si mesma. Isso, é claro, é apenas uma forma de egocentrismo mútuo — um foco horizontal talvez em seu aspecto mais perigoso. Por quê? Porque achamos que estamos aprofundando nossa fé em Deus, mas, na verdade, estamos apenas desfrutando de uma troca de favores. Sejamos claros: é maravilhoso encontrar amigos com quem possamos compartilhar questões profundas e pessoais. Isso é o melhor de uma irmandade cristã. E, sim, podemos sentir a presença de Deus quando estamos na presença de outros — Jesus disse que, quando dois ou três se reunissem em seu nome, ele estaria entre eles. Mas também tenho consciência, em minha própria jornada, de como o poder da intimidade mútua, em vez de revelar Deus em nosso meio, transforma-se meramente em um grupo de amigos que pensa parecido.

Alguns grupos controlam isso garantindo que o grupo tenha uma missão fora de si mesmo. Por exemplo, existem algumas associações em que, além de estudar, compartilhar e orar uns com os outros, todos trabalham juntos em uma tarefa: o grupo dirige um serviço de distribuição de alimentos, ensina alunos com deficiência ou reforma casas em bairros pobres. Qualquer um que já tenha experimentado esse tipo de pequeno grupo sabe quão intensamente as pessoas se ligam umas às outras quando estão envolvidas em uma missão comum fora delas mesmas. Depois de algum tempo, é claro, as pessoas começam a descobrir detalhes íntimos da vida das outras enquanto trabalham juntas — um maravilhoso subproduto dos pequenos grupos focados em ações externas.

Além disso, esse tipo de grupo implica ser treinado na arte de amar os outros. Um motivo pelo qual gostamos do modelo tradicional de pequeno grupo é que nos sentimos naturalmente confortáveis encontrando pessoas como nós mesmos, que vêm da mesma esfera social, econômica e de classe. Essa é uma das razões pelas quais raramente, ou nunca, encontramos pequenos grupos tradicionais, focados na comunidade, que abarquem diversas classes sociais. Mas os pequenos grupos voltados a ajudar pessoas de fora muitas vezes acabam chegando a pessoas muito diferentes dos membros do grupo (geralmente mais pobres, de um grupo étnico ou racial diferente, e assim por diante). Acrescente-se a isso a necessidade de servir um ao outro enquanto enfrentam juntos desafios e obstáculos à missão. O principal propósito do grupo vai além da experiência de uma comunidade homogênea.

128 QUANDO FOI QUE COMEÇAMOS A NOS ESQUECER DE DEUS?

Para além do narcisismo de grupo, há um desafio importante à forma agora tradicional como alguns conduzem os pequenos grupos: apesar das boas intenções dos membros, os pequenos grupos frequentemente são incapazes de ancorar os membros ainda mais profundamente às Escrituras.

Um amigo escreveu um texto em um *blog* alguns anos atrás sobre o desconhecimento da Bíblia na igreja. Descreveu o problema em detalhes minuciosos, e a solução que apresentou foi que os pequenos grupos deveriam ajudar os frequentadores da igreja a estudar e entender melhor as Escrituras. Acho que ele errou em dois aspectos. Primeiro, como observei anteriormente, ao longo da disseminação do movimento de pequenos grupos o desconhecimento da Bíblia só aumentou. Então, embora alguns pequenos grupos possam, de fato, aumentar o conhecimento bíblico aqui e ali, no geral eles não parecem estar cumprindo essa tarefa.

Segundo, e mais importante, é a realidade psicológica dos pequenos grupos. É comum que os pequenos grupos que iniciaram estudando a Bíblia deixem, mais cedo ou mais tarde, de fazer isso. Por que isso acontece?

Primeiro, porque estudar a Bíblia — entender o contexto original, estabelecer conexões teológicas e depois pesquisar como tudo isso se aplica à vida dos membros do grupo — é um trabalho árduo. Estudar a Bíblia requer uma dose elevada de energia intelectual.

É muito mais fácil ler em conjunto um livro de Max Lucado ou assistir a um vídeo de Beth Moore. Eles explicam todas as questões difíceis e fazem isso de um jeito divertido e inspirador. Sejamos claros: sou fã de Max Lucado e Beth Moore. Esses dois estão entre muitos outros que se tornaram professores populares na vida evangélica por bons motivos. Muitos

TORNANDO OS PEQUENOS GRUPOS MAIORES EM PROPÓSITO **129**

professores talentosos produziram livros e vídeos na tentativa de ajudar os pequenos grupos a se aprofundar na fé. Ouso dizer que todos eles insistiriam em que, quando a situação se complica, as pessoas deveriam passar mais tempo na Bíblia do que os escutando.

Podemos saudar o uso esporádico de tais vídeos nos pequenos grupos, ainda que reconhecendo o problema de depender deles. Quando escutamos as maravilhosas ideias e histórias emocionantes que os professores bíblicos nos contam, ficamos fascinados. No entanto, quando nós mesmos lemos a Bíblia, parecemos incapazes de ter aquelas ideias e de relacioná-las à nossa própria vida. E, assim, em vez de esses vídeos nos encorajarem a recorrer às Escrituras, geralmente eles nos encorajam a comprar outro livro ou série de vídeos.

Todavia, mesmo quando os pequenos grupos conseguem evitar o narcisismo mútuo e encorajar a leitura da Bíblia e o crescimento em Cristo, a ênfase geral ainda parece ser horizontal. Os pequenos grupos são, por sua própria natureza, impulsionados por preocupações horizontais — relacionamentos íntimos com outros e preocupação com o estado da alma dos membros.

Precisamos de pequenos grupos que nos ajudem a aprender a amar um ao outro na igreja e que nos auxiliem a pensar mais a fundo sobre o estado de nossa alma. Alguns pequenos grupos deveriam dar mais atenção ao vertical. Isso significa incorporar uma terceira dimensão ao grupo: não apenas intimidade mútua, não apenas crescimento moral, mas também aprofundar o desejo e o amor por Deus. Talvez algumas reuniões pudessem ser devotadas à oração, inclusive com muito tempo para o silêncio. Geralmente nos sentimos desconfortáveis quando há longos silêncios em orações em grupo, mas, se fosse anunciado previamente que o silêncio é uma oportunidade de escutar a Deus, talvez as pessoas não sentissem a necessidade de preencher o silêncio. Ou o grupo poderia desenvolver uma série sobre como louvar e glorificar a Deus na oração e em nossa vida, ou ler um livro sobre meditação cristã e oração contemplativa. Tão somente acrescentar à rotina dos pequenos grupos reuniões que dirijam o foco para Deus e para longe de nós mesmos pode fazer uma diferença notável.

Acrescentar essa terceira dimensão restringiria quase automaticamente a tentação do narcisismo mútuo. Despertaria também maior interesse e paixão pela leitura das Escrituras.

Minha sensação é que a falta de interesse na Bíblia hoje não é causada pela dificuldade da Bíblia. Sim, isso é algo que precisa ser tratado. Mas acredito que, no fundo, não gostamos de ler a Bíblia porque não amamos a Deus, e não queremos amá-lo, por mais que digamos que queremos. Não sentimos desejo por ele, não ansiamos por ele, não desejamos ouvi-lo falar conosco. Vou desenvolver esses pontos nos próximos capítulos. A questão é que, se o desejo por Deus se tornar um dos propósitos dos pequenos grupos, então acredito que o estudo da Bíblia será estimulado de modo dinâmico, e a compreensão da Palavra de Deus crescerá a passos largos.

* * * *

A Parte II tratou da igreja, desde a forma como a concebemos até a forma como decorre a vida na igreja em nossos dias. Observei que somos extremamente tentados pelo horizontal em todos os aspectos da vida da igreja. Nossa miopia horizontal é um sério problema para cada um de nós. Ao mesmo tempo, acredito que eu tenha escrito de um modo que comunica que devemos ser compassivos com nós mesmos assim como Deus é conosco. Todos nós nos esforçamos vigorosamente para colocar Deus em primeiro lugar, para fazer dele "todas as coisas em toda parte", porque somos pecadores e egoístas, sim, e também porque somos fracos e carentes.

O caminho em frente não é fácil. É mais complexo do que talvez tenhamos imaginado de início. E, no entanto, existe certamente um caminho em frente — ou melhor, para o alto.

PARTE III

Aprofundando o desejo

11

Moldando o desejo

Iniciei este livro lembrando que a paixão pelo conhecimento e o amor a Deus é o que motiva os salmistas, os profetas e Paulo, para citar três exemplos das Escrituras. Observei também que essa paixão é expressa por vários santos na história da igreja. Esse desejo por Deus, esse anseio por ver-lhe o rosto é o ápice da vida cristã, agora e no futuro.

Examinei a seguir o cristianismo evangélico nos Estados Unidos e afirmei que, embora a paixão por Deus fosse evidente nos primeiros anos do movimento, com o passar do tempo nosso foco foi se tornando cada vez mais horizontal.

A Parte II analisou como aspectos da igreja foram cooptados pelo horizontal, desde nossa compreensão da igreja em si até o culto, a pregação e os pequenos grupos.

Simplificando: fomos criados para amar e adorar a Deus acima de tudo o mais. Os cristãos evangélicos em particular possuem um legado único de adoração a Deus. Mas nos esquecemos de Deus, em grande medida, e o substituímos por uma variedade de causas, posturas e modos de pensar e agir que focam nossos desejos no nível do horizontal. Não estou com isso negando que a paixão por Deus permanece em diversos setores da vida evangélica — com certeza permanece. Mas acho que é correto dizer que não somos mais um povo que *se caracteriza* por uma fome e sede de conhecer a Deus.

A pergunta, é claro, é: podemos mudar aquilo que desejamos? Argumentei que nossos desejos estão fora de lugar, quer focados em nós mesmos, quer na prosperidade humana como tal. Defendi que nosso desejo deveria, em primeiro lugar e acima de tudo, voltar-se para Deus, com o pressuposto de que, sim, todas essas outras coisas nos serão dadas — mas apenas se mantivermos nossos desejos em ordem.

Alguns respondem instintivamente: "Não — ou se deseja algo ou não. É algo que está incutido em nós". E, assim, leem o que escrevi e concluem: "Acho que não sou um cristão muito bom". Ou: "Talvez eu nem mesmo seja cristão, porque certamente não tenho o desejo por Deus que os santos bíblicos e históricos tinham".

Alguns desistiram da fé precisamente por essa razão: simplesmente reconheceram que não se importavam tanto assim com Deus. Se outros querem perseverar na fé, muito bem — eles que vão atrás de sua felicidade. Mas, quanto a mim, eu e minha casa ignoraremos a religião.

Reconheço que essa visão — de que desejos específicos estão incutidos em nós — me dominou durante a maior parte da vida. Em retrospecto, isso conduziu a problemas que não irei discutir aqui. Basta dizer que meu pensamento se transformou depois que li sobre desejo em um contexto diferente: o da tecnologia.

Por que amamos a tecnologia?

Como muitos outros, tornei-me cada vez mais consciente de como a tecnologia midiática contemporânea nos manipula — ou, mais precisamente, como ela manipula nossos desejos. Esse era um dos temas do ensaio de Jacob Weisberg na *New York Review of Books* intitulado "Fomos irremediavelmente fisgados", do qual recolhi as ideias a seguir.[1]

MOLDANDO O DESEJO **137**

Ele observa, por exemplo, que o Laboratório de Tecnologia Persuasiva, um ramo do Instituto de Pesquisas Avançadas em Ciências Humanas e Tecnologia da Universidade Stanford, produziu "alguns dos projetistas de aplicativos mais bem-sucedidos do Vale do Silício" hoje em dia. Um professor proeminente, B. J. Fogg, que fundou o laboratório em 1998, também dirige "campos de treinamento em persuasão" para empresas de tecnologia.

"Ele [...] [leciona a] disciplina de capturar a atenção das pessoas e tornar difícil para elas escapar", diz Weisberg. "O modelo de comportamento de Fogg envolve construir hábitos por meio do uso do que ele chama de '*hot triggers*' [gatilhos quentes], como os *links* e fotos no *feed* de notícias do Facebook, amplamente constituídos por postagens dos amigos de Facebook de alguém."

Um dos alunos de Fogg, Nir Eyal, oferece sugestões concretas sobre como fazer isso no livro *Hooked (engajado): Como construir produtos e serviços formadores de hábitos*. Um aplicativo de sucesso é aquele que "cria uma 'rotina persistente' ou espiral comportamental", resume Weisberg. "O aplicativo tanto desencadeia uma necessidade quanto fornece a solução momentânea para ela." Então ele cita Eyal:

> Sentimentos de tédio, isolamento, frustração, confusão e indecisão frequentemente instigam uma leve dor ou irritação e induzem uma ação quase instantânea e muitas vezes impensada de acalmar a sensação negativa [...]. Gradualmente, essas ligações se solidificam, formando um hábito, à medida que os usuários recorrem ao produto criado por você quando experimentam certos gatilhos internos.

Considere o gatilho do Facebook chamado FOMO, sigla para *fear of missing out* [medo de ficar por fora]. As redes

138 QUANDO FOI QUE COMEÇAMOS A NOS ESQUECER DE DEUS?

sociais tanto criam ansiedade em nós quando estamos fora delas quanto satisfazem essa ansiedade com uma sensação de conexão aos outros quando retornamos, o que, em certo sentido, nos legitima. No Facebook, o número de "curtidas", amigos e comentários solidifica nosso *status* social. Segundo Eyal, entrar na rede social libera uma dose de dopamina ao cérebro junto com o desejo por outra dose.

Parece familiar? Isso é psicologia básica de máquina caça-níqueis aplicada à mídia social. Eyal acredita que o Instagram faz tudo isso, sem dúvida alguma, aumentando as apostas do medo de ficar de fora e perder aquele momento especial.

Sherry Turkle, no livro campeão de vendas *Reclaiming Conversation: The Power of Talk in a Digital Age* [Recuperando a conversa: O poder da conversa na era digital], descreve como pessoas conversam sobre o uso da mídia social. Quando tentam reduzir esse uso, elas descrevem instintivamente essa experiência usando termos ligados ao abuso de substâncias. Dizem que são "dependentes" ou que estão "viciadas" na mídia social, e os dias e semanas em que se afastam são de "desintoxicação" ou que estão tendo "sintomas de abstinência".[2]

Em outras palavras, não é um acidente que a mídia social seja absorvente e viciante. Ela foi propositalmente concebida dessa forma por seus criadores e administradores. Cria gatilhos que manipulam — isto é, *mudam* — nossos desejos.

Isso é algo que os profissionais de *marketing* vêm fazendo com sucesso há um século ou mais: fazem-nos desejar um produto para que o compremos. Fazem isso de várias formas, desde mostrar como um produto resolve um problema até nos convencer de que é bacana ter aquele produto — e dúzias de outras técnicas nesse intervalo. Todos reconhecem que foram e são manipulados voluntariamente pelos profissionais de *marketing*, especialmente quando se trata desse fator do "bacana".

Esse é um dos maiores atrativos dos produtos da Apple. Seria difícil contestar que o iPhone é muito superior em qualidade aos outros celulares, mas vários de nós possuem um porque, bem, achamos que eles são os celulares mais bacanas. É uma marca de *status*. Entre em uma reunião de negócios em que todos levam seus *laptops* e sentirá que existe uma suposição inconfessa de que os Macs são os mais bacanas da sala. Estamos assim nos entregando a um verdadeiro bacanal (perdoem o trocadilho).

A questão é: todos os dias reconhecemos que nossos desejos podem ser moldados e manipulados por projetistas de aplicativos e publicitários. Isso me leva a concluir que talvez meus próprios desejos possam ser moldados, que talvez haja meios pelos quais eu possa me tornar mais ávido por Deus.

Na revista *The Atlantic*, Olga Khazan transmite essa ideia em "'Encontre sua paixão' é um péssimo conselho".[3] Khazan inicia com uma narrativa que sugere o problema: Carol Dweck, professora de psicologia na Universidade Stanford, perguntou a um grupo de estudantes de graduação: "Quantos de vocês estão esperando para encontrar sua paixão?".

"Quase todos eles ergueram as mãos e ficaram com um olhar sonhador", descreve Dweck. Quando ela lhes pediu que explicassem, eles descreveram a ideia como se uma "grande onda [de desejo] fosse arrastá-los" e que isso era o tipo de acontecimento que seria o bastante para motivá-los ao longo de toda a carreira.

O que Dweck afirmou a seguir é o que Khazan explica amplamente no artigo: "Detesto estourar o balãozinho de vocês, mas geralmente não é assim que acontece".

140 QUANDO FOI QUE COMEÇAMOS A NOS ESQUECER DE DEUS?

Não apenas isso, mas acreditar nessa ideia é uma boa forma de permanecer sem objetivo por um longo, longo tempo. Paul O'Keefe, professor assistente de psicologia na Yale–NUS College, declarou: "Isso quer dizer que, se você faz algo que se parece com trabalho, significa que você não ama aquilo". Tomemos como exemplo a aluna que tenta encontrar um tema de pesquisa que desperte sua paixão intelectual transferindo-se de um laboratório para outro. "É essa ideia", explica O'Keefe, "de que, se não fico totalmente tomado pela emoção quando entro em um laboratório, então aquilo não é minha paixão nem meu interesse."

Dweck e seu colega em Stanford, Greg Walton, recentemente desenvolveram um estudo que sugere que as paixões não são encontradas, mas, em vez disso, desenvolvidas.

Walton diz que a ideia de achar uma paixão e então responder a ela "não reflete o modo como eu ou meus alunos vivenciamos a faculdade, aonde se vai a uma classe e onde se tem uma aula ou uma conversa, e se pensa: 'Isso é interessante'. É por um processo de investimento e desenvolvimento que cultivamos uma paixão permanente por um campo".

Em outras palavras, nossas paixões são formadas quando nos entregamos completamente a algo. E isso significa permanecer naquilo durante os períodos inevitáveis de tédio e monotonia que acompanham qualquer atividade depois de algum tempo. Se fizermos isso, devagar mas certamente nosso interesse e até mesmo nossa fascinação por um assunto crescem.

Isso não significa que possamos nos apaixonar de modo igual por qualquer atividade que realizemos. Significa que podemos nos apaixonar por qualquer coisa pela qual acreditamos que devemos nos apaixonar — *especialmente se essa paixão coincidir com a natureza humana básica.*

MOLDANDO O DESEJO **141**

Não quero entrar em um debate sobre se basta alguém desejar para poder se apaixonar tanto por jogar xadrez quanto por ser estilista de moda. Podemos ter mais certeza, todavia, quando insistimos que, se uma pessoa quer desenvolver um desejo passional em conhecer e amar a Deus, então aprofundar esse desejo é possível e factível. Deus, o presidente de sua própria Empresa de Tecnologia de Persuasão, é aquele que nos dá os meios para fazer exatamente isso.

Por que posso assegurar isso de modo incondicional? Para começar, porque conhecer e amar a Deus é fundamental para a natureza humana. "Nosso coração não tem sossego enquanto não repousar em ti", como diz Agostinho. A teologia cristã reconhece que fomos criados para estar em relacionamento afetuoso com nosso Criador. Embora esse objetivo tenha sido prejudicado pelo pecado, ele continua sendo o desejo mais profundo e mais fundamental do coração humano. Em nosso estado incompleto, muitas vezes ele aparece disfarçado como uma atração pelas belas artes ou por música, poesia profunda, comida refinada, intimidades do amor sexual. Tais interesses despertam nosso coração e nossa mente para o transcendente, e sua ação como ponteiros só se torna clara quando nos entregamos ao seu Autor e Sustentáculo.

Se foi para isso que fomos criados em última análise — para conhecer, amar e glorificar a Deus e desfrutar dele para sempre —, então parece justo concluir que Deus nos tornará possível buscá-lo. E, de fato, ele o faz.

Isso não significa que possamos obter, por nossos próprios esforços, o perdão e a salvação de Deus; que possamos, por nossos próprios esforços, manipular nossos desejos. Primeiro, o pressuposto aqui é que já tenhamos sido salvos pela graça e que isso não tenha sido feito por nós mesmos. Este livro não

142 QUANDO FOI QUE COMEÇAMOS A NOS ESQUECER DE DEUS?

trata de como obter a salvação, mas de como viver, agir e levar nossa existência uma vez que tenhamos sido salvos. E não estou afirmando que, embora sejamos salvos pela graça, depois crescemos pelas obras. Isso é não só teologicamente ridículo como também não combina com a experiência daqueles que cresceram em Cristo. Eles são os primeiros a dizer que é a graça do início ao fim.

No entanto, é igualmente ridículo imaginar que nós mesmos sejamos completamente passivos nesse processo. Há atos que *realizamos*. Mas nossos atos não são uma luta para sermos aceitos. Nós não só fazemos parte da equipe como estamos na equipe titular. A paixão que nos move não é o medo ou a ansiedade, mas o desejo de nos distinguir em campo.

Precisamos também reconhecer como a graça de Deus iniciou todo esse processo. Deus implantou em todo coração humano um desejo por ele. Deu a alguns a graça de saber que os diversos desejos horizontais são meramente ponteiros para ele. O fato de que possamos querer ler um livro como este e pensar sobre aumentar o desejo por Deus é prova de que Deus já está operando em nosso coração, mente e alma para aprofundar nosso amor a ele. Esse desejo de desejar a Deus é, na verdade, uma dádiva divina.

Antes de entrar nas especificidades sobre como isso acontece — ou seja, como exatamente aprofundamos nosso desejo por Deus —, gostaria de deixar claro: não é fácil. Não escrevo como alguém que já chegou ao topo da montanha. Tenho mais dias de fracasso do que de sucesso. E acho que é assim que acontece com esse desejo. Ele vai contra quase tudo a que estamos acostumados. Vai contra todos aqueles desejos naturais que nos manipulam no dia a dia. Vai contra todo o medo e raiva que acompanham o relacionamento com Deus. É o mais

MOLDANDO O DESEJO **143**

difícil que poderíamos almejar, especialmente porque há um inimigo que trabalha dia e noite para sabotar nossos esforços.

Então não é simplesmente uma questão de se comprometer obstinadamente a buscar a Deus. É isso, mas essa própria vontade é sujeita a fluxos e refluxos — algumas vitórias, com certeza, mas também várias derrotas. E essa vontade é profundamente ambivalente. Minha oração costumeira a esse respeito não é "Senhor, ajuda-me a ver-te mais claramente e a amar-te mais profundamente", mas muitas vezes dois passos atrás: "Senhor, confesso hoje que realmente não quero amar-te. Ajuda-me a querer desejar-te mais do que tudo".

Uma oração clássica que vai ao âmago de nossa confusão, rebelião e mero egocentrismo é a Ladainha da Humildade. Foi atribuída ao Cardeal Rafael Merry del Val (1865–1930), mas sua composição possui uma história. A versão atribuída a ele é usada por muitos hoje em dia para chegar aos tantos desejos que existem em nosso coração, aqueles que ficam no caminho do maior desejo que ansiamos por conhecer:

Ó Jesus, manso e humilde de coração, ouve-me.
Do desejo de ser estimado, livra-me, ó Jesus.
Do desejo de ser amado, livra-me, ó Jesus.
Do desejo de ser conhecido, livra-me, ó Jesus.
Do desejo de ser honrado, livra-me, ó Jesus,
Do desejo de ser louvado, livra-me, ó Jesus,
Do desejo de ser preferido, livra-me, ó Jesus,
Do desejo de ser consultado, livra-me, ó Jesus.
Do desejo de ser aprovado, livra-me, ó Jesus.
Do receio de ser humilhado, livra-me, ó Jesus.
Do receio de ser desprezado, livra-me, ó Jesus.
Do receio de ser enjeitado, livra-me, ó Jesus.
Do receio de ser caluniado, livra-me, ó Jesus.

144 QUANDO FOI QUE COMEÇAMOS A NOS ESQUECER DE DEUS?

Do receio de ser esquecido, livra-me, ó Jesus.
Do receio de ser ridicularizado, livra-me, ó Jesus.
Do receio de ser infamado, livra-me, ó Jesus.
Do receio de ser objeto de suspeita, livra-me, ó Jesus.
Que os outros sejam amados mais do que eu,
   Jesus, dá-me a graça de desejá-lo.
Que os outros sejam estimados mais do que eu,
   Jesus, dá-me a graça de desejá-lo.
Que os outros se elevem na opinião do mundo e que eu seja diminuído,
   Jesus, dá-me a graça de desejá-lo.
Que os outros sejam escolhidos e eu posto de lado,
   Jesus, dá-me a graça de desejá-lo.
Que os outros sejam louvados e eu desprezado,
   Jesus, dá-me a graça de desejá-lo.
Que os outros sejam preferidos a mim em todas as coisas,
   Jesus, dá-me a graça de desejá-lo.
Que os outros sejam mais santos do que eu,
   embora me torne o mais santo quanto me for possível,
   Jesus, dá-me a graça de desejá-lo.[4]

A premissa de toda essa oração é um desejo implícito: conhecer e amar a Deus. E a súplica para isso é a mesma que para os outros desejos: "Dá-me a graça de desejá-lo".

Novamente, devemos reconhecer o mistério e complexidade do desejo. Posso afirmar: "Não sinto vontade de amar a Deus neste momento, quanto mais de fazer o que ele ordena" e, ao mesmo tempo, declarar: "Mas isso é o que realmente desejo". Ou, em outras palavras, minha mente e vontade escolheram amar a Deus com todo o meu ser, mas partes do meu ser — o coração, pelo menos — não estão acompanhando.

Se começarmos a falar sobre isso filosoficamente, tudo fica ainda mais complexo. O desejo não é algo simples, e

MOLDANDO O DESEJO **145**

alimentá-lo não é tão simples quanto manipular desejos na mídia social. É só pela graça de Deus que desejamos iniciar essa jornada, e é só pela graça de Deus que faremos qualquer progresso.

Este livro inteiro, na realidade, se baseia em uma verdade que é maior e mais importante do que o tema deste livro. Talvez tenhamos nos esquecido de Deus, mas ele não se esqueceu de nós. E ele não só nos encoraja e impele a nos lembrarmos dele como também nos dá os meios, pela graça, de fazermos exatamente isso.

12

Amor e ódio

O autor dos Provérbios diz que "O temor do Senhor é o princípio da sabedoria" (Pv 9.10). O temor a que ele se refere é uma saudável reverência e admiração. Mas há outro tipo de temor contra o qual precisamos lutar em nosso relacionamento com Deus. Em relação a esse temor, eu diria: o temor de Deus é o começo do desejo por ele.

Encerrei o último capítulo observando que, de fato, nós desejamos conhecer e amar a Deus em algum nível profundo. Desejamos realmente a Deus. Apesar de todos os aspectos em que nos esquecemos dele — isto é, marginalizamos Deus em nosso alvoroço de atividade horizontal —, ainda desejamos a Deus. Será que isso contradiz os argumentos que venho expondo? Na verdade, não.

Retratei um forte contraste entre as dimensões vertical e horizontal da fé a fim de conferir clareza e urgência ao problema. Esse forte contraste é uma hipérbole criada para transmitir uma ideia. Mas se eu mudasse agora e declarasse que tudo o que temos a fazer para começar a desejar a Deus é tomar uma decisão mental, seria como se eu passasse da hipérbole à ficção. Não é tão simples.

Lá no fundo nós ainda desejamos a Deus, apesar de todo o foco no horizontal. E, ainda assim, a razão para o foco horizontal não é somente que nos esquecemos de Deus — como se apenas nos houvéssemos distraído, como quem vai ao supermercado para comprar leite, enche o carrinho e volta para casa sem aquilo que foi comprar. Não, nós nos esquecemos de Deus porque tentamos deliberadamente apagá-lo de nossa memória. Isso porque às vezes Deus é como um pesadelo que nos deixa confusos e ansiosos.

É crucial que vejamos e reconheçamos essa dimensão de nosso relacionamento com Deus. Se Deus às vezes não nos deixa confusos e ansiosos, é porque ainda não encontramos o Deus vivo.

Pergunte a Abraão, que não conseguia de forma alguma imaginar como Deus iria produzir uma grande nação a partir de seu corpo envelhecido.

Pergunte a Jacó, de quem se diz que lutou com Deus e perdeu.

Pergunte a Moisés, cujo único propósito na vida era levar o povo de Israel até a Terra Prometida, mas acabou se vendo ele mesmo impedido de entrar.

Pergunte a Davi, que em vários salmos se queixou de que o Senhor não o escutava.

Pergunte a Jeremias, que ficou furioso com Deus por incitá-lo a pregar.

Pergunte a Jesus, que sentiu como se Deus o houvesse abandonado na cruz.

Todo crente aprende, mais cedo ou mais tarde, que é algo apavorante cair nas mãos desse Deus. É por isso que todo crente que se preza é profundamente ambivalente a respeito de Deus. Sim, desejamos ser governados pela Sabedoria Infalível — e, no entanto, não gostamos de nos submeter a ninguém e a nada. Ansiamos pela intimidade com a Pura Benevolência — mas tememos a perda de independência. Relutamos em nos submeter àquele pelo qual ansiamos, e tememos aquele a quem desejamos. Em suma, amamos a Deus e odiamos a Deus.

148 QUANDO FOI QUE COMEÇAMOS A NOS ESQUECER DE DEUS?

Não progrediremos na vida espiritual até que admitamos isso. Se achamos que amamos realmente a Deus e tudo o que precisamos é de um lembrete sutil para recolocá-lo no trono de nossa vida, estamos enganando a nós mesmos. Estamos vivendo uma fé fantasiosa. Essa simplesmente não é a sórdida e esplêndida realidade do coração humano.

Um importante motivo pelo qual relutamos diante de Deus e preferimos nos esquecer dele é que ele se recusa a vir a nós do jeito que achamos que precisamos que ele venha a nós. Raciocinamos assim: Deus é magnificente e maravilhoso e não conhece limites; assim, virá a nós em inconfundível esplendor. Entretanto, nossas orações ficam pairando no silêncio. As palavras de adoração soam como uma torrente desconexa. Pedimos por cura e acabamos com contas de hospital. Ansiamos por amor e assinamos o divórcio. Onde está o Deus de milagre e maravilha quando precisamos dele? Ele não parece muito confiável. E, em vez de esperar por ele e sermos desapontados o tempo todo, decidimos esquecer o vertical e focar o horizontal. Somos sensatos o bastante para não abandonar a fé cristã completamente, pois, apesar de nossa desorientação, ainda acreditamos que esse é o caminho para a vida eterna. Só não nos peça para levar a sério a presença de Deus. Talvez o glorioso Deus apareça na vida de outras pessoas. Talvez no tempo da Bíblia isso acontecesse. Talvez uma vez em nossa vida, muito, muito tempo atrás. Mas não hoje, não aqui, não no futuro imediato.

O Deus de milagre e maravilha, é claro, é em grande parte uma criação de nossa imaginação. É como queremos que Deus seja. Não é como ele é no dia a dia, de eternidade a eternidade.

Não há dúvida de que há milagres e maravilhas na Bíblia, e alguns experimentam o poder e a glória de Deus hoje. Mas

AMOR E ÓDIO **149**

esses milagres não são nem um pouco tão óbvios ou definiti-
vos como às vezes pensamos. Lembrem-se de que muitos viram e ouviram o Senhor ressuscitado diante de seus olhos e
ouvidos, mas ainda assim duvidaram (ver Mt 28.17).

Seria mais sábio pensar nos milagres e maravilhas como o
desfibrilador de Deus. Às vezes estamos tão mortos para Deus
que precisamos de um choque elétrico no coração para desper-
tar. Mas, depois disso, tudo volta ao normal, e Deus retorna ao
estilo habitual de se dirigir a nós. As pessoas não vivem só por
meio de um desfibrilador divino, pois uma vida de milagres
e maravilhas nos mataria. Em vez disso, Deus vem a nós tão
silenciosa e sutilmente quanto a batida firme de nosso coração.

Se o primeiro passo para desejar a Deus é reconhecer o
quanto relutamos diante de sua presença, o segundo passo é
aceitar o modo que ele escolheu para estar conosco. Precisamos conhecer aquilo que desejamos. Se desejamos milagres,
jamais encontraremos a Deus. Se desejamos a Deus, precisamos desistir dos milagres e procurar por ele no cotidiano.

Como as palavras humanas e inadequadas de um pregador.

Como a linguagem e os idiomas confusos da Bíblia.

Como o pão e vinho da Comunhão.

Como a água do batismo.

Como a reunião de dois ou três para a oração.

Como a experiência cotidiana do mistério, do não saber,
do maravilhamento, da perplexidade — de que a vida está
repleta.

Se procuramos por Deus em qualquer lugar exceto nos lugares comuns, não o encontraremos.

13

O mundo, a carne, o diabo e a religião

Precisamos pensar mais sobre o quanto guardamos ressentimentos de Deus, porque, quanto mais fazemos de Deus o centro da atenção emocional, mais se dará uma batalha em nosso coração. "Que coisa terrível é cair nas mãos do Deus vivo" (Hb 10.31), e que coisa difícil é querer amar a Deus com coração, alma, mente e forças.

Quando desejamos desejar a Deus, certas realidades juntam forças para nos demover. Tradicionalmente, elas foram descritas como o mundo, a carne e o diabo. Essa é uma lista muito boa, à qual eu acrescentaria apenas mais uma: a religião. Neste capítulo, examinaremos cada uma delas na ordem das tentações de Jesus no deserto descritas por Lucas (Lc 4.3-13).

O diabo

Não seria sensato ignorar esse tema nem passar tempo demais nele. Como observou C. S. Lewis no prefácio a *Cartas de um diabo a seu aprendiz*:

> Há dois erros iguais e opostos que nossa raça pode cometer a respeito dos demônios. Uma é descrer de sua existência. A outra é acreditar e sentir um interesse excessivo e doentio por eles. Eles próprios ficam igualmente satisfeitos com ambos os erros e saúdam um materialista ou um mago com o mesmo deleite.[1]

O MUNDO, A CARNE, O DIABO E A RELIGIÃO **151**

Se alguém quiser passar algum tempo ponderando sobre "os truques do diabo", o clássico de Lewis é o lugar ideal. Para nossos propósitos aqui, observo simplesmente a realidade das forças espirituais sombrias que são inimigas obstinadas de Deus.

A origem de tais seres, sua natureza exata, por que Deus permite que eles existam e outras questões desse tipo não podem ser respondidas de modo definitivo. A Bíblia não se preocupa em fazer uma ontologia dos maus espíritos, mas apenas reconhece sua existência e poder — e sua derrota em Cristo.

A existência deles é aceita sem discussões por Jesus, Paulo, João e todos os autores do Novo Testamento. Seu propósito parece ser criar o caos na vida humana, especialmente quando essa vida está em jornada rumo a Deus. Eles nos tentam a abandonar Deus, assim como o diabo tentou Jesus a fazer. Para alguns, o diabo apareceu concretamente, sendo possível vê-lo, cheirá-lo ou ouvi-lo. Para a maioria de nós, ele aparece em nossa mente em pensamentos projetados para minar o amor a Deus e a obediência a ele.

Nem sempre esse tipo de pensamento vem do inimigo. Novamente, não somos instados a discernir a natureza, o paradeiro ou os métodos exatos do diabo. Não precisamos atribuir todo pensamento mau a ele para saber que ele anda "à procura de alguém para devorar", às vezes "como um leão rugindo" (1Pe 5.8) explicitamente, mas, com mais frequência, caminhando sorrateiramente, de modo que mal percebemos sua presença.

Então, à medida que o desejo de amar a Deus se torna mais sério, não se surpreendam se forem assaltados por todo tipo de tentação, ou se os pecados que os afligem se tornarem ainda mais tentadores. A própria presença de tais tentações sugere que vocês estão no caminho certo.

152 QUANDO FOI QUE COMEÇAMOS A NOS ESQUECER DE DEUS?

A primeira linha de defesa, como sempre, é a oração. Os católicos têm uma oração exatamente para isso:

São Miguel Arcanjo,
  defende-nos neste combate.
Sê nossa defesa contra a iniquidade
  e os ardis do demônio.
Em humildade pedimos que Deus o reprimenda,
  e que tu,
Ó Príncipe das hostes celestiais,
  pelo poder de Deus,
  precipites no inferno a Satanás
  e a todos os espíritos malignos
  que vagueiam pelo mundo
  para a perdição das almas. Amém.[2]

Quando os protestantes desconfiarem que algo externo possa estar tentando-os, vão querer orar ao Senhor de forma semelhante também. Dito isso, esqueçamos o diabo e passemos a considerar aspectos da tentação que nossa mente é capaz de compreender.

A carne

A primeira sedução no relato de Lucas sobre as tentações é a seguinte: o diabo se aproxima de um Jesus faminto (que jejuava havia quarenta dias) e o desafia: "Se você é o Filho de Deus, ordene que esta pedra se transforme em pão" (Lc 4.3).

O que é interessante e muito perverso nessa tentação é que é um ataque a algo que é fundamentalmente bom. "Então Deus olhou para tudo que havia feito" — inclusive a carne dos animais e do homem, inclusive o cereal que seria usado para

O MUNDO, A CARNE, O DIABO E A RELIGIÃO **153**

fazer o pão — "e viu que era muito bom" (Gn 1.31). Nós nos regozijamos e agradecemos a Deus por nosso corpo, que precisa ser alimentado. Agradecemos a Deus por nosso alimento, que nutre nosso bom corpo.

As três principais tentações da carne se referem todas a desejar coisas boas, mas buscá-las de modo excessivo ou inadequado. Elas são a cobiça, a gula e a luxúria.

Em nosso tempo, certamente estamos conscientes de quão poderosa a cobiça é, embora em geral a chamemos de materialismo. E, ainda que estejamos agudamente conscientes dos tentáculos dessa tentação, poucos de nós (inclusive eu mesmo) fazemos algo significativo a esse respeito. Podemos dizer que não somos donos de nossas posses, e sim meros mordomos das dádivas de Deus, mas em nossos momentos mais lúcidos sabemos que somos possuídos por elas e as usamos principalmente para nossos próprios fins egoístas.

Não que seja fácil abrir mão de todas as posses em um impulso momentâneo, como fez Santo Antônio antes de partir para o deserto. Mas o simples fato é que, ano após ano após ano, não conseguimos manter nosso acúmulo sob controle — o que se evidencia no aumento do tamanho das casas de que precisamos para armazenar todos os nossos pertences. Lamentamos isso, mas, na verdade, parecemos incapazes de mudar essa situação.

Em termos práticos, se não dominarmos esse amor exagerado à carne, não seremos capazes de abrir espaço em nosso pequeno coração para devotá-lo todo ao amor a Deus.

De forma similar, precisamos reconhecer quão predominante é o pecado da gula, pelo menos nos Estados Unidos hoje. Deixando de lado aqueles que apresentam um estado clínico que faz com que seu corpo engorde à menor ingestão de alimento, para o restante de nós é simples questão de gula. Não devemos julgar os outros ao examinar-lhes a cintura — só Deus sabe o que acontece; nós não temos como saber. E, é claro, não existe tipo ideal de corpo; que Deus não permita que elejamos a magreza como um novo ídolo.

Mas, vamos falar a verdade. Chega um ponto em que precisamos ser sinceros com nós mesmos e reconhecer que estamos, realmente, vivendo na gula. Aqueles de nós que lutaram contra essa tentação durante toda a vida adulta (inclusive aquele que lhes escreve) deveriam parar de amaldiçoar os furos do cinto quando precisamos avançar para o furo seguinte e bendizer a Deus por isso, porque poucos pecados apresentam um sinal tão exterior e visível de uma cobiça interior e invisível. É um sinal físico de uma realidade espiritual destroçada.

Mas a gula pode ser invisível, também. Pois a gula não é tanto comer demais quanto um foco exagerado e espiritualmente doentio em alimentação e saúde. Muitos amigos que não têm problemas para manter o peso e se exercitar admitem que também passam muito tempo pensando nessas questões. Então que nós, comilões, não fiquemos com inveja dos magros e em boa forma física, e que os magros e em boa forma física não julguem aqueles com a cintura em expansão. Sejamos generosos uns com os outros, reconhecendo que a maioria de nós luta contra a gula pelo menos de vez em quando e que a gula é um pecado muito difícil de abandonar.

Finalmente, há o desejo sexual. Em minha opinião, os cristãos tradicionais também passam tempo demais se preocupando com o pecado das relações homossexuais e não o bastante com luxúrias que são muito mais predominantes em seu meio, ou seja, os casos extraconjugais e principalmente nosso vício em pornografia e masturbação. Sem deixarmos de nos preocupar

O MUNDO, A CARNE, O DIABO E A RELIGIÃO **155**

com as relações homossexuais e os casos extraconjugais, precisamos dar prioridade ao tratamento dessa última praga.

Há inúmeras estatísticas sobre o problema, mas os números variam. Uma das razões para isso é que a pornografia não é facilmente definida. Ainda assim, nenhuma das estatísticas é animadora. Vamos falar apenas sobre um estudo do Grupo Barna realizado cerca de dois anos atrás.[3] De acordo com o estudo, mais da metade dos pastores (57%) e quase dois terços dos pastores da juventude (64%) têm problemas com pornografia em uma ou outra ocasião. No que se refere à população em geral, 67% dos adolescentes e jovens de sexo masculino e 33% das adolescentes e jovens de sexo feminino recorrem à pornografia pelo menos uma vez por mês. Os números decrescem quando se trata de homens e mulheres mais velhos, mas não muito. E há motivos para acreditar que os números sejam semelhantes na comunidade cristã.

A masturbação se tornou mais aceita do que costumava ser na comunidade cristã, especialmente entre os jovens. Com certeza não é o pior pecado no mundo, e a autossatisfação não é motivo para a autoaversão. Mas é da própria natureza da masturbação usar a sexualidade para satisfazer os próprios desejos, enquanto o sexo foi explicitamente projetado por Deus para ser compartilhado com outra pessoa. Assim, por sua própria natureza, ela frustra o amor. Isso não é bom para os relacionamentos humanos, e não é bom se estamos tentando abrir mais espaço no coração para Deus. Se não podemos amar a Deus e a Mamom, podemos ainda menos amar a Deus e a masturbação.

É justo que se diga que muitos dos que estão lendo este livro enfrentam ou enfrentaram problemas com a pornografia e a masturbação, e este autor não é exceção. Não é o momento para nós, homens (principalmente), fingirmos que isso não é uma tentação ou que, devido à facilidade com que a tecnologia disponibiliza a pornografia, isso vá desaparecer em breve. A boa notícia é que, com a ajuda de Deus, essa tentação também pode ser banida, como muitos podem atestar.

Essas tentações da carne não nos atacam individualmente, mas geralmente atuam em conjunto. Não é raro lutar contra a tentação de ver pornografia ao mesmo tempo que se luta contra a gula e o materialismo. Então não se surpreendam se, ao sucumbirem a uma, sucumbirem às outras também. Muitas vezes as tentações vêm em um pacote, e é por isso que os autores bíblicos as reúnem sob o mesmo termo: a carne.

É por isso também que os três principais votos monásticos são castidade, pobreza e obediência. A castidade mira a luxúria; a pobreza, a cobiça e a gula; e a obediência, à "carne" que quer o que quer e quando quer. Ainda que os protestantes não entrem na vida monástica, podemos praticar uma disciplina que tem se mostrado extraordinariamente bem-sucedida em disciplinar a carne: o jejum.

Refiro-me ao jejum de alimentos. Ouvimos falar de pessoas que fazem todo tipo de jejum hoje em dia, mas há razões teológicas e espirituais pelas quais a igreja se concentrou na comida. Afinal, o primeiro pecado foi o desejo por comida. De certa forma isso está no âmago do dilema humano: precisamos, sem dúvida alguma, de alimento para sobreviver, e no entanto o alimento pode ser nossa derrocada espiritual. Como todos os pecados da carne estão intimamente relacionados, se pudermos aprender a disciplinar os desejos pelo alimento, será mais fácil disciplinar outras áreas em seguida.

O que o jejum nos ensina é a viver com um desejo insatisfeito. Se não conseguirmos aprender isso em relação aos desejos da carne, teremos dificuldades quando enfrentarmos os desejos espirituais do coração. Embarcar em uma jornada para contemplar o rosto de Deus é embarcar em uma jornada de desejo insatisfeito. Ficaremos cada vez mais extasiados com seu amor *e ao mesmo tempo* desejando-o cada vez mais. E, porque somos finitos e Deus é infinito, jamais haverá um tempo em que estaremos completamente satisfeitos e saciados com o amor de Deus. Precisamos nos acostumar a viver com um desejo insatisfeito se queremos entender o que o amor de Deus acarreta.

Por outro lado, o jejum torna nosso coração cada vez maior, limpando-o dos amores inapropriados e criando mais espaço para o amor de Deus habitá-lo. Não deveria nos surpreender, então, que seja exatamente nesse momento que a tentação se faz sentir mais fortemente do que nunca — assim como aconteceu com Jesus durante o jejum no deserto.

Por mais graves que sejam os pecados da carne, não devemos nos envergonhar de nós mesmos por causa deles, pois a vergonha jamais nos levará a lugar algum. Com certeza eles não estão no mesmo nível do orgulho e do sentimento de superioridade moral, aos quais Jesus reservou as palavras mais duras. Entretanto, como pecados da carne, continuam sendo um problema. Quanto mais nos fixamos aos bens materiais, à comida e à bebida, assim como ao prazer sexual, mais nosso coração permanecerá pequeno, deixando cada vez menos espaço para aquele que pode preenchê-lo com amor.

O mundo

Embora "o mundo" possa ser interpretado como "mundano", no sentido de aquisições materiais e prazerosas, a segunda

158 QUANDO FOI QUE COMEÇAMOS A NOS ESQUECER DE DEUS?

tentação de Jesus traz um foco específico para nossa consideração aqui:

> Então o diabo o levou a um lugar alto e, num momento, lhe mostrou todos os reinos do mundo. "Eu lhe darei a glória destes reinos e autoridade sobre eles, pois são meus e posso dá-los a quem eu quiser", disse o diabo. "Eu lhe darei tudo se me adorar."
>
> Lucas 4.5-7

A questão aqui é a "glória" e a "autoridade".

De modo semelhante ao que alimenta os pecados da carne, a glória e a autoridade são dádivas divinas. Devemos glorificar e honrar as pessoas dignas de glória e honra. Os governantes justos. Pai e mãe. Qualquer um que se destaque em alguma arte ou habilidade. E, realmente, quase todo o mundo — pois todos conservamos pelo menos algum fragmento da imagem de Deus, e até esse fragmento merece ser honrado.

Quanto à autoridade, não há sociedade justa sem diversos níveis de autoridade, de magistrados a professores ou pais.

Então, quando falamos sobre a tentação do "mundo", estamos falando de uma ambição exagerada por honra e poder. Essa tentação se baseia em outros pecados, a inveja e o ciúme (e, em última análise, o orgulho), o que significa que ninguém que tenha honra e glória deve lutar para conservar sua posição, e aqueles que carecem de honra e autoridade não devem buscá-la. Simples, não é?

Bem, em uma democracia, não é tão simples, porque ser candidato é, explicitamente, concorrer para ganhar algum poder e, por extensão, alguma glória. Não é tão simples em uma economia capitalista, porque criar riqueza e segurança para aqueles a quem amamos é buscar ter poder sobre as contingências da vida. Não é tão simples na família, onde a

O MUNDO, A CARNE, O DIABO E A RELIGIÃO **159**

decisão de ter filhos é a decisão de ter autoridade sobre eles. E assim por diante.

Portanto, não estamos falando sobre comportamento externo quando falamos sobre nos abstermos de glória e autoridade. Estamos falando sobre a motivação no coração humano.

Como garantimos melhores motivações? O que vem primeiro e por último é a confissão: reconhecer que essa é uma tentação já instalada em nosso coração e que provavelmente não desaparecerá facilmente. Se o primeiro pecado foi um ato de gula, foi também o de buscar a glória.

A glória pode assumir várias formas. Não se trata apenas da honra pela honra. Pode ser um desejo por um conhecimento ou habilidade superior e insuperável, pelo qual alguém receberá honra. No caso de Eva, era um desejo pela sabedoria insuperável. A tentação da serpente vai direto ao coração desse fenômeno: "Deus sabe que, no momento em que comerem do fruto, seus olhos se abrirão e, como Deus, conhecerão o bem e o mal" (Gn 3.5). O mesmo acontece com a resposta de Eva: "A mulher viu que a árvore era linda e que seu fruto parecia delicioso, e desejou a sabedoria que ele lhe daria. Assim, tomou do fruto e o comeu" (Gn 3.6).

O pecado original, precisamente porque é o pecado raiz, é também um pecado perene de poder especial e sutil. Creio que afeta cada um de nós de um jeito ou de outro. É raro o indivíduo que consegue se livrar do anseio pela honra excessiva. Mesmo quando tentamos evitá-lo, ele vem a nós por outro caminho.

Por exemplo, de vez em quando cometemos algum erro jornalístico, e uma de minhas tarefas é me desculpar por escrito quando a *Christianity Today* publica algo, em geral devido à pressa, que ofende desnecessariamente um grupo ou distorce gravemente algum fato. Isso acontece raramente, mas, quando acontece, meu dever como editor-chefe é publicar um pedido de desculpas. A questão é: recebo muitos elogios por admitir que usamos inadequadamente nossa plataforma de publicação — e, assim, obtenho honra! Acho que é uma bobagem, mas não vou negar que me sinto bem quando outros me dizem que sou humilde. Esse é o triste, triste estado do coração humano.

Assim, o lugar para começar a moldar nossas motivações é reconhecer e admitir que, na maior parte do tempo, elas estão misturadas. Tenho amigos que não aceitariam uma promoção porque não se sentem seguros de que lidariam bem com uma nova autoridade. Talvez essa seja uma boa decisão para alguns. Mas, se ficarmos esperando por motivações puras, jamais assumiremos nenhuma responsabilidade nova. Em vez disso, devemos orar: "Senhor, sei que vou gostar de ter autoridade e poder, e já me arrependo por isso. Ajuda-me a permanecer sob controle".

E então, quando estiver exercitando autoridade dia após dia, e recebendo honra regularmente pelo bom trabalho, admita para si mesmo (e para os outros, quando apropriado) que, além de motivações de amor e serviço, você sabe que há uma boa dose de orgulho nisso também. Vivemos pela graça. E Deus abençoa com a graça nosso trabalho de motivações mistas. Senão estaríamos todos condenados.

O paradoxo é que, quando admitimos que o orgulho ocupa um espaço exagerado em nosso coração, é aí que Deus consegue encontrar mais espaço para ele mesmo em nosso coração.

Religião

Devemos observar em especial como o diabo introduz duas de suas tentações. Antes da primeira e da terceira tentação,

O MUNDO, A CARNE, O DIABO E A RELIGIÃO **161**

ele diz a Jesus: "Se você é o Filho de Deus...". Essa tentação é dupla. É uma tentação de abandonar a fé e uma tentação de provar a fé. Melhor dizendo: a primeira é a tentação do desespero, e a segunda é a tentação de abandonar a Deus.

Quanto à primeira tentação, quando iniciamos o esforço de amar a Deus de todo o coração, uma pequena voz em nossa cabeça começa a sussurrar:

— O que o faz pensar que isso seja possível para uma pessoa como você? Você não é nada além de um ser humano comum, normal, medíocre, que é fraco e decididamente incoerente. E aqueles pecados que sempre o afligem... você acha mesmo que conseguirá se livrar deles algum dia? Falando sério, você é realmente filho de Deus? Não seria mais honesto dizer que você é tudo menos isso?

Em suma, estamos falando sobre a pequena voz que quer que neguemos nossa identidade essencial como filhos e filhas de Deus.

Respondemos ousadamente na linguagem da graça e do perdão:

— Os cristãos não são perfeitos, apenas perdoados!

Ao que a voz replica:

— Com certeza o suposto poder de Deus em sua vida deve fazer alguma diferença. Mas existem aqueles pecados que o afligem e que continuam aparecendo, e você continua a acolhê-los. Será que você acredita sinceramente no perdão divino quando, examinando sua vida, parece que você não está nem aí?

Quando se começa a buscar a Deus de todo o coração, é isso o que acontece. Falhamos em seguir a vontade dele mais do que nunca. Não sei se você irá realmente pecar mais do que nunca, mas notará mais do que nunca os modos pelos quais falha com Deus. E isso o fará questionar sua própria

162 QUANDO FOI QUE COMEÇAMOS A NOS ESQUECER DE DEUS?

sinceridade. Isso o fará questionar sua própria identidade. Isso o tentará com o desespero.

Há uma oração de dedicação atribuída a São Bento de Núrsia de que gosto muito, exatamente porque localiza as áreas de minha vida que exigem mais atenção. É uma longa oração. Quando termino de pronunciá-la, estou mais consciente do que nunca das várias formas em que falhei com Deus todos os dias. Mas aqui está o verso que, para mim, resume tudo. A oração termina assim: "Eu me comprometo a [...] nunca perder a esperança em tua compaixão, ó Deus de misericórdia. Amém".

Esse é o verso a orar quando esse tipo de murmúrio começa, porque não podemos ordenar que tenhamos fé na misericórdia de Deus, mas apenas orar para que ele nos sustente em sua misericórdia e, então, mesmo que nos sintamos indignos, viver como se estivéssemos de acordo com sua misericórdia e sob ela.

A segunda tentação que surge com "Se você é o Filho de Deus..." é a tentativa de provar a fé. Pede-se que Jesus faça um milagre. Sabemos muito bem que isso não está em nosso poder. Mas há algo que podemos fazer para provar nossa fé: podemos nos tornar mais religiosos. Podemos orar diariamente. Podemos ir ao culto semanalmente. Podemos memorizar as Escrituras. Podemos servir em um programa de distribuição de alimentos. Podemos testemunhar a nossos amigos. Podemos jejuar de vez em quando. Podemos servir no conselho da igreja. Podemos erguer as mãos em adoração. Podemos ler livros sobre aprender a amar a Deus!

Deixe-me dizer apenas que, como cristão na tradição anglicana, conheço bastante sobre como ritual e tradição, cerimônia e devoções habituais podem aprofundar o amor por Deus. Sei

O MUNDO, A CARNE, O DIABO E A RELIGIÃO **163**

também como esses elementos podem ser usados para manter Deus a distância. A oração formal pode ser bela, mas também permanecer meramente formal, quando se fica apenas murmurando palavras sobre as quais não se reflete mais.

E não é uma questão de se esforçar para entrar em um estado de ânimo devocional enquanto se recita orações escritas, só para provar para si mesmo que suas intenções são sérias. Já vi alguns anglicanos agirem desse modo. Não é melhor do que cumprir tarefas mecanicamente. Ambos podem ser feitos de uma forma que sugere que estamos tentando justificar nossa existência, tentando provar para nós mesmos e talvez para os outros que realmente acreditamos.

Nossa fé não é algo sujeito à prova, certamente não uma prova que convença os outros, quanto mais a nós mesmos. Não temos o poder de convencer a nós mesmos de que temos fé, que somos filhos de Deus, amados pelo Misericordioso. Só Deus pode fazer isso. É por isso que, quando sentimos que nossa fé é, na melhor das hipóteses, escassa — quando aquela pequena voz planta sementes de dúvida —, podemos orar: "Senhor, que eu nunca perca a esperança em tua compaixão" e "Eu creio; ajuda-me a superar minha incredulidade" (ver Mc 9.24).

* * * *

Repetindo (porque nunca é demais insistir): embarcar em uma jornada para amar a Deus com todo o coração, alma, mente e forças é embarcar em uma jornada perigosa, entremeada de buracos e becos sem saída, sinais apontando na direção errada, neblina e escuridão, longos trechos sem nada para se ver exceto uma paisagem sombria. Parte da razão pela qual nos esquecemos de Deus em nossa vida a tal ponto é essa: o mundo, a carne, o diabo e a religião fizeram um bom trabalho em apagar nossa memória. Mas, ironicamente, quanto mais lutamos conscientemente contra o mundo, a carne, o diabo e até mesmo a religião, mais Deus será uma realidade constante para nós, mesmo que não seja por outra razão além desta: a oração constante em nossos lábios será "Tem misericórdia, Senhor". Nunca nos foi prometido que a jornada com Deus seria fácil, apenas que, pela graça de Deus, ela se torna possível.

14
Não tenha outros deuses

Um sinal da graça é a lei que Deus nos dá como guia para nossa caminhada de redenção com ele. E o Decálogo, os Dez Mandamentos, não é um lugar ruim para começar a desfrutar desses meios da graça.

Um passo na longa e frutífera jornada para nos lembrarmos de Deus foi enunciado pela primeira vez pelo próprio Deus a Moisés e ao povo de Israel: "Não tenha outros deuses além de mim" (Êx 20.3). Esse passo significa simplesmente renunciar aos falsos deuses de nosso tempo e nos comprometer com o Deus verdadeiro.

Isso não é fácil, é claro. É algo que se complica pelo fato de que não nos sentimos como se houvéssemos escolhido outros deuses. Frequentemente, é como se eles nos houvessem escolhido.

Somos como um ramo solitário balouçando sobre a água, flutuando indolentemente rio abaixo — subindo, descendo, pulando para a esquerda e a direita. O ramo não tem nenhuma vontade além da vontade do rio, à medida que este serpenteia em direção ao implacável rochedo que divide a corrente em duas.

Os ramos e folhas que derivam para a esquerda do rochedo acabam presos em um lago profundo, onde a corrente rodopia; uma corrente contrária roda sem parar, criando um calmo redemoinho. À direita, tudo o que é levado pela água precipita-se na corrente principal, rumo ao destino final: um lago imaculado ou um grande reservatório, ou talvez o vasto e incompreensível oceano.

Desde a infância, deliciamo-nos jogando ramos no riacho e vendo-os oscilar e serem levados embora. Um conhecido filme para crianças, *Paddle to the Sea* [Remar para o mar], segue uma canoa entalhada à mão que é levada pelos rios por milhares de quilômetros até chegar ao mar.

Somos atraídos por esse filme bem como pela observação dos ramos levados pelas águas, porque, mesmo quando crianças, sentimos que a vida é assim na maior parte do tempo. Somos carregados pelo grande rio e ficamos subindo e descendo enquanto ele nos leva, e esperamos, contra todas as evidências, que acabaremos em algum lugar imaculado, vasto e maravilhosamente misterioso.

Nessa jornada, aproximamo-nos de muitos rochedos, sem saber se seremos impelidos para a direita até nosso destino final ou para a esquerda, naquela corrente contrária. Muitas vezes, sentimos que estamos presos ao redemoinho, rodando e rodando, incapazes de escapar à inutilidade do turbilhão.

Oscilando entre duas opiniões

Assim era o turbilhão em que Israel se viu quando Acabe governava. Como o cronista de 1Reis comentou, ele "fez o que era mau aos olhos do Senhor" (1Rs 16.30), a exemplo dos reis antes dele.

Tudo começou com Salomão. Embora houvesse sido prevenido por Deus contra isso, ele se casou com muitas estrangeiras de sangue real que adoravam outros deuses. Salomão havia sido o pilar da devoção judaica, mas, em deferência às esposas — talvez para manter a paz, ou fazer com que parassem de se

NÃO TENHA OUTROS DEUSES **167**

queixar por não ter um lugar decente para fazer oferendas a seus deuses, ou talvez apenas para agradá-las —, ele se deixou levar pela corrente. Não somente construiu altares e santuários para deuses estrangeiros como logo se viu acompanhando uma ou outra esposa na adoração a Astarote, a deusa dos sidônios; a Camos, o deus dos moabitas; e até mesmo a Moloque, que exigia o sacrifício ocasional de crianças e a quem o autor de 1Reis descreveu como "o repulsivo deus dos amonitas" (1Rs 11.7).

Mas não é que, ao adorar esses outros deuses, ele tenha abandonado seu próprio Deus. Não se cogitava demolir o magnífico templo do Senhor que ele construíra, ou proibir a adoração de Javé e a oferta de sacrifícios a ele também. Como um ramo oscilando para a esquerda e a direita, ele e vários de seu povo adoravam os deuses aos quais a corrente os levava.

E assim foi, rei após rei, até que o reino unido foi dividido em Judá e Israel. Jeroboão, o rei de Israel, recebeu a promessa da bênção do Senhor se permanecesse fiel, porém logo se viu levado pela corrente, como havia acontecido com Salomão. No caso dele, era o medo que o impulsionava. Sabia que seu povo voltaria regularmente a Jerusalém, capital de Judá, para oferecer sacrifícios a Javé. Talvez eles transferissem sua lealdade ao rei de Judá, Roboão. Jeroboão pensou em uma solução:

> Então, seguindo a recomendação de seus conselheiros, o rei fez dois bezerros de ouro. Disse ao povo: "É complicado demais ir a Jerusalém para adorar. Veja, Israel, estes são os deuses que tiraram vocês do Egito!".
>
> Colocou um dos bezerros em Betel e o outro em Dã, nos dois extremos de seu reino. Isso se tornou um grande pecado, pois o povo viajava até Dã, ao norte, para adorar o ídolo que ficava ali.
>
> 1Reis 12.28-30

168 QUANDO FOI QUE COMEÇAMOS A NOS ESQUECER DE DEUS?

E, assim, tanto o rei quanto o povo prosseguiam, oscilando para a direita em adoração ao Senhor Deus, oscilando para a esquerda para se inclinar diante de um ídolo. O narrador de 1Reis, após a narrativa do reinado de cada rei, ressaltava esse padrão encerrando desse modo a narrativa de cada rei: "E [fulano] havia feito o que era mau aos olhos do SENHOR, como a família de Jeroboão antes dele".

Não que Judá tenha se mantido virtuosa:

> Construíram santuários idólatras e levantaram colunas sagradas e postes de Aserá em todos os montes e debaixo de toda árvore verdejante. Havia até mesmo prostitutos cultuais por toda a terra. O povo imitava as práticas detestáveis das nações que o SENHOR havia expulsado de diante dos israelitas.
>
> 1Reis 14.23-24

Em todo esse período, o templo de Jerusalém fervilhava com atividades religiosas. Oscilando na corrente religiosa, ora para a esquerda com os deuses estrangeiros, ora para a direita com o Senhor.

Acabe se deixou levar pela corrente também, que agora se tornara mais turbulenta, como uma cachoeira:

> Acabe, filho de Onri, fez o que era mau aos olhos do SENHOR, pior que todos os reis antes dele. E, como se não bastasse seguir o exemplo pecaminoso de Jeroboão, casou-se com Jezabel, filha de Etbaal, rei dos sidônios, e começou a se prostrar diante de Baal e adorá-lo. Primeiro, Acabe construiu um templo e um altar para Baal em Samaria.
>
> 1Reis 16.30-32

Foi Acabe e os sacerdotes de Baal e "todo o povo de Israel" que o profeta Elias desafiou no monte Carmelo.

NÃO TENHA OUTROS DEUSES **169**

A queixa de Elias não era exatamente quanto à idolatria. É claro que isso era bastante mau aos olhos do Senhor. Mas observem como Elias descreveu a situação: "Até quando ficarão oscilando de um lado para o outro? Se o Senhor é Deus, sigam-no! Mas, se Baal é Deus, então sigam Baal!" (1Rs 18.21).

A hesitação, a vacilação, o oscilar para a esquerda e para a direita — era a isso que se dirigia a queixa de Elias. As pessoas eram ramos levados pelas correntes religiosas conflitantes da época, presas ao redemoinho, girando e girando, primeiro indo em direção a um deus e depois em direção a outro, em um turbilhão cada vez mais paralisante.

A resposta de Elias a essa situação foi chamá-los a uma decisão firme e resoluta: "Se o Senhor é Deus, sigam-no! Mas, se Baal é Deus, então sigam Baal!".

Hoje em dia não nos inclinamos diante de ídolos físicos, mas se o assunto é hesitar, vacilar e oscilar de um lado para o outro, é algo que nos soa familiar. Não somos pagãos completos, pois adoramos o verdadeiro Deus no domingo e tentamos servi-lo da melhor forma que conseguimos nos outros dias da semana. Mas nos vemos presos às correntes que nos carregam.

Talvez a corrente mais forte atualmente seja a chamada "infovia". Essa não é como uma estrada que atravessamos em um carro cuja velocidade e direção controlamos. É mais como um rio que nos carrega com ele a seu bel-prazer.

Muitos têm se queixado com razão sobre o potencial da internet de criar dependência. Mas isso é meramente o sintoma do problema mais profundo: nossa fascinação com o eu. Não é um acidente que as mídias sociais mais poderosas, Facebook e Twitter, cuidem do eu que desejamos projetar para todo o mundo ver. Não é acidente que um dos primeiros e

170 QUANDO FOI QUE COMEÇAMOS A NOS ESQUECER DE DEUS?

mais difundidos usos comerciais da internet seja bombardear indivíduos com produtos e serviços pelos quais eles já procuraram. Não é acidente que essa mídia leve as pessoas não a explorar outros mundos e ideias (como pensamos que faria), mas, em vez disso, as levam a se retirar do mundo maior para guetos onde interagem com pessoas muito semelhantes a elas próprias e veem cada vez mais as pessoas diferentes delas não como apenas diferentes, mas como imorais ou más.

Essa concentração em si mesmo tem sido criticada de várias formas, conforme o crítico. Allan Bloom chamou-a de "o fechamento da mente americana"; Christopher Lasch, de "a cultura do narcisismo"; e outros a chamaram de culto da autorrealização ou individualismo desenfreado. Mas esses vícios não são nada de novo sob o sol, como mostra um rápido exame da história. Em nosso tempo, todavia, essa constelação de egocentrismo não é considerada uma fraqueza moral, quanto mais um pecado, mas, ao contrário, uma virtude. Em *A ética da autenticidade*, Charles Taylor observa:

> O que precisamos entender aqui é a força moral por trás de noções como autorrealização. Uma vez que tentemos explicar isso simplesmente como um tipo de egoísmo, ou uma espécie de laxismo moral, uma autoindulgência com relação a uma época mais rígida, mais exigente, já estamos perdendo o rumo [...]. Não é somente que as pessoas sacrificam seus relacionamentos amorosos, e o cuidado dos filhos, para seguir uma carreira. Talvez sempre tenha existido algo desse tipo. A questão é que hoje várias pessoas se sentem *chamadas* a fazer isso, sentem que devem fazer isso, sentem que sua vida será, de algum modo, desperdiçada ou não realizada se não fizerem isso.[1]

NÃO TENHA OUTROS DEUSES **171**

Assim, atualmente muitos sentem que possuem um dever moral de descobrir seu eu "real" — em todos os aspectos de gênero, raciais, étnicos, políticos e espirituais. E, depois de descobrir esse eu, ou alguma parte dele, existe ainda outro dever: o de submeter-se a ele e colocá-lo em prática.

Os cristãos não são imunes a tudo isso e, como nossa participação no pecado original, vemo-nos imitando essa cultura. Deixamos as igrejas porque "não estamos sendo nutridos". Abandonamos o cônjuge porque "o relacionamento não é mais gratificante". Paramos de ler a Bíblia porque "é entediante e irrelevante para minhas necessidades". Paramos de orar "porque não estou ganhando nada com isso". Transformamos um valor moral após o outro porque achamos que eles vão contra o eu econômico, sexual ou político que não apenas queremos ser, mas *sentimos que é nosso dever ser*.

Esse é o rio cultural que nos arrasta em nosso tempo. Sem dúvida, sentimos que há algo profundamente errado com esse modo de conceber o eu e o mundo, e de vez em quando recuperamos a consciência — entretanto, logo somos lançados de volta ao fluxo da corrente veloz.

Jesus fala sobre o problema em termos de Deus e Mamom — sendo Mamom um nome colocado no lugar de qualquer falsa divindade. Paulo fala sobre sermos "levados de um lado para outro, empurrados por qualquer vento de novos ensinamentos" (Ef 4.14), assim como Tiago: "aquele que duvida é como a onda do mar, empurrada e agitada pelo vento" (Tg 1.6).

Resistindo à corrente

Como, então, resistirmos à corrente cultural que quer nos carregar para o turbilhão? Como nos livrarmos da falsa divindade

172 QUANDO FOI QUE COMEÇAMOS A NOS ESQUECER DE DEUS?

do eu para adorar o verdadeiro Deus do universo? É uma decisão que cada um de nós é chamado a tomar: "Arrependam-se e creiam nas boas-novas", proclamou Jesus, pois "o reino de Deus está próximo!" (ver Mc 1.15).

Essa decisão, contudo, essa capacidade de escolher a Deus vem apenas por um milagre da graça. Para Acabe, os sacerdotes de Baal e o povo de Israel foi assim que aconteceu:[2]

Elias se virou para os profetas de Baal e ordenou:

— Agora, tragam para cá dois novilhos. Que os profetas de Baal escolham um deles, cortem o animal em pedaços e o coloquem sobre a lenha do altar, mas não ponham fogo na lenha.

Elias, de seu lado, fez o mesmo. Depois, falou:

— Então invoquem o nome de seu deus, e eu invocarei o nome do SENHOR. O deus que responder com fogo, esse é o Deus verdadeiro!

Todos concordaram com essa proposta, e os profetas de Baal começaram a trabalhar. Prepararam um novilho, colocaram-no sobre o altar e oraram:

— Ó Baal, responde-nos!

Fizeram isso durante horas a fio, dançando ao redor do altar.

Por volta do meio-dia, Elias não conseguiu mais se conter e começou a zombar deles:

— Vocês precisam gritar mais alto. Sem dúvida ele é um deus! Talvez esteja meditando ou fazendo as suas necessidades. Ou talvez esteja viajando, ou dormindo, e precise ser acordado!

Diante disso, os profetas de Baal começaram a gritar as orações mais alto e, como o ritual exigia, a se cortar até sangrar. Mas de nada adiantou. Até o entardecer, como diz o narrador de 1Reis, "não houve sequer um som, nem resposta ou reação alguma".

Então Elias instruiu o povo a se aproximar do altar. Este

não era lá nenhuma maravilha: era um altar antigo que havia sido derrubado. Assim, primeiro ele o reconstruiu com doze pedras, uma para cada tribo de Israel. Depois, cavou ao redor uma valeta com capacidade para doze litros de água. Empilhou lenha sobre o altar, cortou o novilho em pedaços e colocou os pedaços sobre a lenha

Em seguida, mandou que alguns na multidão enchessem quatro jarras grandes com água e derramassem a água sobre o holocausto e a lenha. Quando terminaram de fazer isso, Elias ordenou:

— Façam a mesma coisa novamente.

E quando eles terminaram:

— Agora façam o mesmo pela terceira vez.

Com isso, a água correu ao redor do altar e encheu a valeta. Então Elias orou:

— Ó Senhor, Deus de Abraão, Isaque e Jacó, prova hoje que és Deus em Israel e que sou teu servo. Prova que fiz tudo isso por ordem tua. Ó Senhor, responde-me! Que este povo saiba que tu, ó Senhor, és o verdadeiro Deus e estás buscando o povo de volta para ti!

Foi quando o milagre aconteceu: fogo do Senhor desceu do céu e queimou o novilho, a madeira, as pedras e o chão. Tudo virou cinza. Nem é necessário dizer que a água da valeta evaporou completamente.

Depois do que deve ter sido um silêncio de perplexidade, todos se prostraram com o rosto no chão e gritaram:

— O Senhor é Deus! Sim, o Senhor é Deus!

O mesmo aconteceu com Paulo, que caiu por terra na estrada para Damasco. O mesmo aconteceu com John Wesley, cujo coração foi estranhamente aquecido enquanto ele escutava uma leitura do prefácio de Lutero ao comentário sobre

174 QUANDO FOI QUE COMEÇAMOS A NOS ESQUECER DE DEUS?

Romanos. O mesmo aconteceu com vários que experimentaram um súbito e concreto milagre.

Para a maioria de nós, o milagre é sutil, tão calmo que podemos até não notá-lo. Mas o milagre é esse: de repente fica claro que não apenas temos uma decisão a tomar, mas uma decisão cujas consequências são grandiosas. É uma revelação silenciosa de que estamos sendo levados e oscilando e que podemos decidir para que lado do rochedo iremos. Essa revelação é pura graça, pura dádiva — experimentar essa clareza, esse momento. Não é algo que possamos resolver, mas que só pode ser concedido.

Todavia, quer o milagre seja palpável, quer sutil, o que o acompanha é uma decisão. O tempo de oscilar entre esquerda e direita terminou. O tempo de escolher a quem iremos servir chegou. Esse é o dia da salvação. Essa é a hora da decisão. Esse é o momento em que nossa conversão se inicia, quando dizemos: "O SENHOR é Deus! Sim, o SENHOR é Deus!".

Sejamos claros: isso não é um sentimento, nem um sentimento religioso. Não é necessariamente uma experiência espiritual. A ideia de nos entregarmos a Deus dessa forma pode nos parecer tola, e também assustadora. Não é de surpreender se tudo dentro de nós se rebelar contra essa decisão.

Para C. S. Lewis, foi uma confissão relutante:

Imagine que estou sozinho naquele quarto em Magdalen, noite após noite, sentindo, sempre que minha mente se desviava um instante que fosse do trabalho, a aproximação firme e implacável daquele que eu desejava tão ardentemente não encontrar. Aquilo que eu tanto temia finalmente caiu sobre mim. Cedi, enfim, no período derradeiro do ano letivo de 1929: admiti que Deus era Deus, ajoelhei-me e orei. Era talvez, naquela noite, o mais triste e relutante converso de toda a Inglaterra.[3]

NÃO TENHA OUTROS DEUSES **175**

Para o homem com um filho possuído por um demônio, foi um grito de fraqueza: "Eu creio, mas ajude-me a superar minha incredulidade" (Mc 9.24).

Para muitos de nós, é uma oração desesperada: "Tem misericórdia, Senhor!".

Mas, seja qual for o caso, é o momento mais misterioso da vida de alguém, uma decisão pessoal da vontade *e* a atração aparentemente irresistível da graça.

Em outras palavras, para nós, cristãos, o passo fundamental no caminho de volta à sanidade moral — lembrarmo-nos do Senhor — é o voto feito a cada dia, talvez mesmo a cada hora, de pararmos de servir a outros deuses e nos entregarmos novamente ao Deus e Pai de nosso Senhor Jesus Cristo.

Isso está no coração da vida cristã. É o que torna a vida cristã o desafio intimidante e delicioso que é. E é essa a razão pela qual sabemos que não conseguiremos fazê-lo sozinhos, mas, como observado muitas vezes neste livro, só podemos orar: "Tem misericórdia, Senhor".

15

Lembre-se de guardar o sábado

A decisão de abandonar os ídolos é tomada a cada dia — talvez mesmo a cada hora: "Preciso de ti; preciso de ti a cada hora", como diz o hino ["I Need Thee Every Hour"]. E, assim, não é de surpreender que, quando o Senhor Deus estabeleceu os chamados Dez Mandamentos, um dos primeiros mandamentos se referia à organização de nossa vida em torno dele: "Lembre-se de guardar o sábado, fazendo dele um dia santo" (Êx 20.8).

Em parte, isso significa reservar um dia por semana para adorar e glorificar a Deus. Mencionei anteriormente que os principais meios de graça pelos quais Deus instila em nós um desejo profundo de amá-lo são encontrados na adoração: na leitura comum das Escrituras, ao escutar a Palavra pregada, ao participar dos sacramentos/ordenanças que Jesus instituiu. Quanto mais nos entregamos a esses meios de graça regulares, até mundanos, mais Deus preencherá nosso coração. Há muito mais a ser dito sobre esses meios da graça, que abordei parcialmente em outro livro.[1]

Neste livro, quero examinar os meios de graça menos conhecidos. E um implícito nesse mandamento tem a ver com organizar não apenas o sábado dos cristãos, mas toda a semana em torno do Senhor. Implicitamente, o mandamento do sábado se refere a organizar nossos dias e até nossas horas. Aqueles que fizeram o menor dos esforços para se devotar sem hesitação a Deus sabem que isso requer mais do que o culto semanal. A maioria de nós experimentou o fenômeno:

LEMBRE-SE DE GUARDAR O SÁBADO **177**

deleitamo-nos com o culto glorioso no domingo, fazemos firmes votos de servir ao Senhor em humildade e amor na semana seguinte, mas ao retornarmos à igreja no domingo seguinte percebemos que nem sequer pensamos novamente em Deus. Não é essa a fórmula para uma vida transformada.

Em um texto não publicado, o grande professor espiritual Richard Foster comenta:

> Agora, nossa primeira tarefa — nossa grande tarefa, nossa tarefa central — é encarnar essa realidade da vida com Deus na *experiência cotidiana de nosso povo* no local onde ele vive, trabalha, chora, ora e amaldiçoa a escuridão. Se não progredirmos de modo significativo ali, todos os outros esforços simplesmente se esgotarão e dispersarão. A verdadeira substância de nossa vida precisa ser tão radicalmente diferente, transformada no nível mais profundo, subterrâneo, que todos possam ver a diferença e glorificar a Deus, aquele que causou a diferença.[2]

Isso não irá acontecer a não ser ou até que descubramos como nos lembrar do Senhor na "experiência cotidiana" em que "vivemos, trabalhamos, choramos, oramos e amaldiçoamos a escuridão".

E o mesmo vale para o sábio conselho dado era após era, de que iniciemos cada dia com uma oração e reflexão sobre as Escrituras. É um bom conselho, até certo ponto, só que não a um ponto suficientemente distante. Pois o problema comentado acima se repete, mas agora de forma diária. Iniciamos o dia com o foco em Deus e sua vontade, e depois passamos às atividades cotidianas — e não pensamos mais em Deus até a manhã seguinte.

O salmista nos mostra o caminho. Ele alude a essa questão no salmo 1, em que a pessoa virtuosa é descrita como aquela que "tem prazer na lei do Senhor e nela medita dia e noite" (Sl 1.2). Todavia, a visão do salmista não se limita à oração da manhã e da noite. A paixão não se limita a desejar a presença de Deus em alguns momentos do dia. O desejo é mais profundo:

> Como são felizes os íntegros,
>   os que seguem a lei do Senhor!
> Como são felizes os que obedecem a seus preceitos
>   e o buscam de todo o coração.
>
> Salmos 119.1-2

E como o salmista prepara seu coração para buscar a Deus dessa forma?

> Sete vezes por dia te louvarei,
>   porque teus estatutos são justos.
> Os que amam tua lei estão totalmente seguros
>   e não tropeçam.
>
> Salmos 119.164-165

Para o salmista, meditar sobre a lei de Deus noite e dia, louvá-lo por sua lei sete vezes ao dia — isso equivale à oração e à meditação sobre o próprio Deus. Para o salmista, a lei é a própria revelação do caráter e amor de Deus.

A essa altura, talvez vocês estejam pensando: "Meditação sete vezes ao dia? Você está brincando?".

O fato de que parte de nós reage dessa forma sugere quão limitada é a nossa devoção a Deus, pelo menos se comparada à do salmista. Revela também que já decidimos organizar nossa vida (e que a cultura organizou nossa vida para nós), porque a reação seguinte não é rara: "Quem tem tempo para isso?".

LEMBRE-SE DE GUARDAR O SÁBADO 179

Todavia, há uma história sobre os cristãos moldando sua vida exatamente da forma como o salmista escreve. E nessa história vemos os frutos dessa organização. Estou me referindo, é claro, à vida monástica e a milhares e milhares de homens e mulheres que seguem esse caminho, organizando os dias em torno de sete períodos de oração: matinas, laudes, terça, sexta, noa, vésperas e completas. Uma das mais penetrantes ideias da Reforma foi que tal vida de devoção não cabia somente aos supercristãos; todo crente não é apenas um sacerdote, mas também um monge ou uma monja, e todos nós podemos amar e servir a Deus com uma paixão tão devotada quanto a deles sem nos isolar do mundo. Acreditamos hoje não só no sacerdócio de todos os crentes, mas também no "monasticismo" de todos os crentes.

Dizendo de outra maneira: sustento que é impossível crescer de modo significativo na devoção a Deus a não ser que abramos espaço em nossa vida para louvar a Deus e meditar sobre sua lei muitas vezes ao dia. Talvez não sete, mas com certeza mais do que uma.

Baseio-me em dois fenômenos. Primeiro, que os cristãos mais devotos ao longo dos séculos praticaram o que é chamado de Liturgia das Horas. Segundo, minha própria experiência, isto é, meu ateísmo prático. Se não abro espaço deliberadamente em meu dia para os momentos de oração, Deus desaparece de minha vista, às vezes durante o dia todo, às vezes durante a semana toda. Preciso praticar a Liturgia das Horas como um alcoólatra em recuperação precisa frequentar a reunião diária dos Alcoólicos Anônimos. Qualquer um que esteja desesperado por alguma razão fará o que for necessário.

Não estou apontando a mim mesmo como exemplo. Desde que decidi, algum tempo atrás, que deveria praticar a Liturgia das Horas, falhei mais vezes do que fui bem-sucedido. Não sigam meu exemplo. Descreverei a seguir quão ruim é a minha situação em muitos dias.

A oração matinal não me causa muitos problemas. Mas, sabendo quão atarefado sou, programo o despertador para tocar às 11h55 e às 16h30 para me lembrar de pelo menos parar e fazer uma oração breve, ou ler um salmo ou dois. Diria que, em nove de cada dez dias, quando esses alarmes tocam, estou invariavelmente em meio a alguma atividade. Então bato no botão para fazê-lo parar, prometendo mentalmente orar quando houver terminado a atividade que estou realizando — e então me esqueço completamente de fazer isso.

Esse é um fenômeno espantoso. Indica muitas verdades: como nossa cultura molda nossa vida em torno de tantas atividades a desempenhar; quão desmemoriado sou quando se trata das coisas de Deus; e, finalmente, quão duro é meu coração em relação às coisas de Deus. São incontáveis as vezes em que fiquei chateado quando o alarme tocou, porque, naquele momento, senti como se Deus fosse uma perturbação naquilo que eu realmente queria fazer.

Como é diferente quando amamos apaixonadamente. Eu ficaria encantado se minha amada me interrompesse a qualquer hora do dia. Procuraria pretextos para passar tempo com ela. O resto de minha rotina seria sem graça em comparação com meu desejo de estar ao seu lado.

Mas não é essa minha experiência com Deus, e ouso dizer que não é essa a experiência da maioria de nós. De certa forma, é assim que deveria ser. Acho que é justo dizer que Deus na verdade quer que nos esqueçamos dele em boa parte do dia. Não quero que o cirurgião pense em Deus quando estiver operando meu coração, nem que o piloto do avião em que

LEMBRE-SE DE GUARDAR O SÁBADO **181**

estou viajando feche os olhos em louvor a Deus na hora de aterrissar. Somos chamados, afinal, a amar o próximo, e amar significa dar atenção ao próximo e a tarefas que beneficiam o próximo.

Entretanto, é justo dizer que existe algum ponto entre a vida de paixão por Deus e a vida de indiferença a Deus. E é justo dizer que, como afirmei nos capítulos anteriores, nós tendemos a cair do lado da indiferença mais frequentemente do que do outro lado. Não nos faria mal introduzir — pelo menos tentar introduzir — em nossa vida uma rotina que nos conectasse novamente a nosso primeiro amor algumas vezes ao dia.

Uma prática contemporânea da Liturgia das Horas estimula a oração quatro vezes ao dia: manhã, meio-dia, entardecer e logo antes de dormir. Esse me parece um objetivo alcançável, embora eu precise admitir novamente que, quando consigo orar de manhã e antes de dormir, já me sinto satisfeito.

Os anglicanos e católicos têm mais experiência nisso e oferecem recursos que são de grande ajuda. É bom entender que, na Liturgia das Horas católica (que inclui orações, uma leitura dos Salmos, e outros textos das Escrituras), a oração matinal e vespertina levam cerca de dez minutos cada, enquanto a do meio-dia e as completas (antes de dormir) levam cerca de cinco. Às vezes minha "hora" é composta por uma única oração — a Oração do Senhor, por exemplo, ou a Oração de Jesus ("Senhor Jesus Cristo, Filho de Deus, tem piedade de mim, pecador"). Melhor do que nada, em minha opinião.

Não estamos falando de um compromisso de muitas horas ao dia. O fundamental não é a quantidade de tempo, mas o fato de que nosso tempo será organizado em torno de Deus. E, no entanto, como já comentamos, nosso coração está tão duro que mesmo isso pode ser um desafio para nós.

Ao concluir outro capítulo, especialmente um que enfatizou a ação, é bom observar mais uma vez (porque nos confundimos com tanta facilidade) que aqui não se trata de tornarmo-nos mais religiosos ou espirituais. Se nos orgulhamos da quantidade de tempo ou do número de vezes ao dia em que oramos, nosso coração obviamente não está entendendo o objetivo. Mas, como escrevi acima sobre motivações, não deveríamos nos surpreender se começarmos a sentir orgulho de nós mesmos! E até isso pode nos levar de volta a Deus, para confessar e reconhecer novamente que foi a graça de Deus que nos levou a orar.

16
Assim me diz a Bíblia

Uns poucos capítulos atrás, falamos sobre a tentação de Jesus como um modo de considerar as tentações que atormentarão aqueles que procuram amar a Deus de todo o coração. Naquele capítulo, recomendei várias vezes a oração como uma forma de frustrar essas tentações. O leitor atento terá notado que não mencionei a única arma com a qual o próprio Jesus lutou contra o diabo: as Escrituras.

Deveríamos ficar surpresos vendo que o Filho de Deus, que tinha à disposição um poder inimaginável para usar contra o diabo, tenha escolhido um método aparentemente prosaico. Desde quando citar Escrituras já provou alguma coisa ou decidiu algum debate? Só quando Jesus o fez. Com isso ele acabou de imediato com cada uma das tentações. O diabo sabia que havia sido derrotado a cada vez, até a terceira (três é o número mágico), que o fez se recolher de volta à sua concha.

Mesmo que não tivéssemos versículos exaltando a autoridade e a utilidade das Escrituras — como "Toda a Escritura é inspirada por Deus e útil para nos ensinar o que é verdadeiro e para nos fazer perceber o que não está em ordem em nossa vida. Ela nos corrige quando erramos e nos ensina a fazer o que é certo. Deus a usa para preparar e capacitar seu povo para toda boa obra" (2Tm 3.16-17) —, ainda poderíamos inferir essas virtudes pelo uso que Jesus fez das Escrituras ao ser tentado.

Como observei anteriormente, vivemos em uma época paradoxal. Temos mais e melhores traduções da Bíblia do que

184 QUANDO FOI QUE COMEÇAMOS A NOS ESQUECER DE DEUS?

nunca, tantos métodos de leitura da Bíblia atraentes e úteis que nem conseguimos contar, e apesar disso o conhecimento da Bíblia continua a decair. E, como já comentei, não creio que o problema seja que a Bíblia é difícil demais de se entender; é que, na verdade, não queremos entender a Bíblia. Entender a Bíblia é um meio de entender a Deus. E isso é algo a respeito do que somos profundamente ambivalentes.

Então vamos admitir com sinceridade que não queremos realmente ler a Bíblia e que a provável razão é que não queremos conhecer a Deus como ele se apresenta lá. Uma vez que tenhamos reconhecido isso, podemos começar a fazer algum progresso na leitura das Escrituras.

Depois que o entusiasmo inicial por ter contato com uma nova disciplina espiritual se esgota, é bom reconhecer que as Escrituras começarão a parecer irrelevantes, ofensivas, repetitivas e absolutamente estranhas. Isso pode ser uma pista de que você está começando a encontrar o verdadeiro Deus, em vez do Deus de sua imaginação.

O Deus de nossa imaginação é um Deus agradável. Ah, sim, ele pode ser rigoroso de vez em quando, mas é um tipo de aspereza de um avô, nada a ser levado muito a sério. É também um Deus que faz com que nos sintamos confortáveis com nosso ambiente, que ajuda nossa vida material a fazer sentido. Em geral é um Deus que nos inspira com verdades espirituais que nos ajudam a nos sentirmos amados e importantes, que nos motiva a sermos bons para outras pessoas.

O Deus da Bíblia, o verdadeiro Deus, não é agradável, mas é amoroso. Ele é conhecido por fazer com que nos sintamos tremendamente desconfortáveis sob o olhar de sua raiva diante do pecado. É um Deus com quem podemos contar, mas cujas atitudes não podemos prever com exatidão — no sentido

ASSIM ME DIZ A BÍBLIA **185**

de que ele não necessariamente aparecerá para nós quando e como desejamos que apareça. Às vezes ele se apresentará como a fúria da tempestade, outras vezes como a desolação silenciosa do deserto. Às vezes com um berro, e às vezes com uma voz tranquila, suave. Não há como saber como ele irá se manifestar, mas ele irá. Se não estivermos preparados para encontrar o verdadeiro Deus, talvez não o veremos, porque estaremos procurando pelo Deus errado.

A principal razão pela qual precisamos ler e estudar as Escrituras e meditar sobre elas não é ser inspirado ou ter uma arma à nossa disposição para as lutas contra o inimigo ou para que possamos saber como viver em santidade. A principal razão é para conhecermos o verdadeiro Deus e abandonarmos o Deus de nossa imaginação.

Como ler a Bíblia para melhor desfrutar de sua riqueza

Se estivermos lendo a Bíblia para conhecer o verdadeiro Deus, então isso influenciará radicalmente o modo como lemos e estudamos a Bíblia.

A velha tradição evangélica de ler a Bíblia e então "aplicá-la à nossa vida" continua tendo valor. Mas algo deve vir antes desse passo. Pois se a Bíblia for usada principalmente para descobrir lições sobre como viver, então a Bíblia se torna, em primeiro lugar e acima de tudo, um livro sobre nós. E ela não é isso, de forma alguma.

Uma nova tradição na leitura da Bíblia, pelo menos uma adotada pelos estudiosos evangélicos, é o método histórico-crítico. Já mencionei esse método, mas é necessário acrescentar mais algumas palavras. Esse método tem sido usado nos círculos

186 QUANDO FOI QUE COMEÇAMOS A NOS ESQUECER DE DEUS?

protestantes históricos há quase dois séculos. Não há dúvida de que tem nos ajudado a atingir uma compreensão mais profunda dos caminhos de Deus. Um exemplo disso é que agora temos uma compreensão mais profunda do judaísmo de Jesus e seu meio histórico e social, assim como do de Paulo. Isso nos forçou a reconsiderar nosso entendimento do Antigo Testamento e do lugar dos judeus na história da salvação, o que contribuiu muito para livrar a igreja do antissemitismo que a assolou durante séculos.

Entretanto, o método histórico-crítico apresenta duas fraquezas importantes. Em primeiro lugar, exige que nos concentremos nos aspectos históricos, sociais e literários das Escrituras, como foi projetado a fazer, mas à custa de outros importantes métodos de interpretação. Mencionei isso anteriormente.

Segundo, o método histórico-crítico tende a criar uma estrutura de castas na igreja. Quanto mais ele é utilizado por professores e pastores em aulas e sermões, mais os leigos se sentem incapazes de entender as Escrituras sozinhos. Quanto mais o pregador diz: "Nas línguas originais essa palavra na verdade significa..." ou "Para entender essa passagem, precisamos conhecer o contexto histórico-político daquela época...", ou frases afins, mais o leigo destreinado irá interromper a leitura das Escrituras. "Como posso entender a Bíblia? Não tenho o treinamento que meu pastor tem", ele pensará.

Nesse ponto a questão se torna ainda mais complicada, porque precisamos de fato de homens e mulheres treinados na arte do estudo bíblico para que transmitam os frutos de seu aprendizado em proveito do resto da igreja. Mas o modo como o método histórico-crítico é veiculado leva a uma sensação de inadequação por parte dos leitores leigos. Ele acaba reduzindo-lhes a autoestima intelectual e espiritual.

Sei do que estou falando. Recebi bons ensinamentos sobre as línguas originais da Bíblia e as técnicas do método histórico-crítico no Fuller Theological Seminary. Empreguei meus conhecimentos em aulas e pregações quando era pastor. E testemunhei exatamente esses dois fenômenos. Gastei cada vez mais tempo e energia pensando sobre o contexto histórico, literário e social das Escrituras, e posso lhes assegurar que foi um prazer fazer isso. A Bíblia é um tema de estudo fascinante. Mas, infelizmente, também fui treinado a ler a Bíblia como se Deus não estivesse presente nela. E, quanto mais eu empregava o método histórico-crítico, mais inseguros meus paroquianos se sentiam quanto a lerem a Bíblia sozinhos.

Nem sempre funciona dessa forma — desde que voltemos ao primeiro propósito das Escrituras: ensinar-nos quem Deus é e como podemos amá-lo mais. Os teólogos medievais perceberam primeiro que há, na verdade, quatro níveis de leitura das Escrituras, e sua abordagem pode nos ajudar hoje a equilibrar melhor as formas como lemos as Escrituras.

Primeiro, há a leitura literal: o que o texto diz no contexto de seu tempo e local originais. Até a poesia, que trabalha com metáforas, apresenta um significado específico no contexto original. É aí que o método histórico-crítico pode ajudar.

Segundo, há a leitura tipológica ou alegórica. Em razão de alguns abusos na história da exegese, esse método é evitado por muitos atualmente. Mas não podemos rejeitá-lo, porque foi usado pelos escritores do Novo Testamento.

A interpretação deles de passagens do Antigo Testamento faz com que os intelectuais contemporâneos adeptos do método histórico-crítico subam pelas paredes. Considerem como o Evangelho de Mateus usa tais passagens. A fuga da santa família para o Egito é descrita assim: "Naquela mesma

188 QUANDO FOI QUE COMEÇAMOS A NOS ESQUECER DE DEUS?

noite, José se levantou e partiu com o menino e Maria, sua mãe, para o Egito, onde ficaram até a morte de Herodes. Cumpriu--se, assim, o que o Senhor tinha dito por meio do profeta: 'Do Egito chamei meu filho'" (Mt 2.14-15). A referência é a Oseias 11.1, que trata claramente do resgate de Israel do Egito. Não há ali nenhuma pretensão a ser uma profecia sobre a vinda do Messias. Mas Mateus vê Cristo ali e, assim, usa essa passagem para indicar que a obra de Cristo, resgatando-nos da escravidão do pecado, é como aquela do resgate de Israel da escravidão do Egito. A volta de Cristo à terra de Israel remete ao passado, à libertação de Israel da escravidão egípcia, e ao futuro, à morte de Cristo na cruz.

Esse tipo de alusão acontece repetidas vezes em Mateus e no restante do Novo Testamento. Vejam, por exemplo, Gálatas 4.21-31, em que Paulo afirma explicitamente que a história de Hagar e Sara e seus respectivos filhos, Ismael e Isaque, é uma alegoria da escravidão da lei e da liberdade da graça em Cristo.

Portanto, essa é uma forma legítima de se ler as Escrituras para nós hoje também.

Terceiro, há a leitura moral, em que discernimos o significado prático, ou seja, como ele se aplica à nossa vida.

Quarto, há a leitura anagógica ou mística. *Anagog* é uma palavra grega que significa "elevar". Esse significado aponta para a realização final de todas as coisas em Cristo. Assim, tomando o exemplo acima, "Do Egito chamei meu filho" pode se referir não apenas a Jesus nos livrando da escravidão do pecado, mas também da escravidão da morte — seremos resgatados não só espiritualmente nesta vida, mas corporalmente na vida que virá. Essas ressonâncias teológicas não são mencionadas por Mateus, mas os leitores familiarizados com a exegese da época perceberão a presença desses harmônicos.

ASSIM ME DIZ A BÍBLIA **189**

Em nossa compreensível paixão por rejeitar leituras extravagantes e entender melhor o contexto histórico e literário da Bíblia, negligenciamos aspectos de leitura que podem nos ajudar a conhecer e amar a Deus mais profundamente. Portanto, isso não é um chamado para rejeitar as ferramentas histórico-críticas, mas para mantê-las em seu lugar. Só com a plena leitura das Escrituras, uma que inclua a leitura tipológica e anagógica, cresceremos em nosso amor e devoção a Deus.

Isso é apenas um esboço de como podemos expandir nosso modo de ler as Escrituras. Aqui não é o lugar para um quadro completo e detalhado. Resgatar o método de ler a Bíblia dos primeiros tempos da igreja requer um tratamento que ocuparia um livro inteiro.[1] Mas esse esboço deve, pelo menos, dar ao leitor uma ideia de quão mais ricas as Escrituras podem se tornar quando lidas tal como o faziam os cristãos nos primeiros tempos da igreja e na Idade Média.

Questões práticas

Quase não é preciso dizer, então, que a leitura diária das Escrituras é crucial. Mas não preciso gastar muito tempo falando disso a leitores evangélicos, que continuam comprometidos com isso, pelo menos enquanto um ideal. A única ação a adotar aqui é repetir o que já foi dito acima: quando reduzimos o volume de leitura diária da Bíblia, não nos enganemos pensando que isso se deve a algo além de um desejo de evitar o Deus verdadeiro.

Outra questão que não precisa de muita ênfase é a importância da leitura de toda a Bíblia. Novamente, os leitores evangélicos estão comprometidos com isso, pelo menos enquanto um ideal. Há vários programas de leitura disponíveis, de um,

190 QUANDO FOI QUE COMEÇAMOS A NOS ESQUECER DE DEUS?

dois e três anos. Os iniciantes podem querer folhear rapidamente Levítico e outros livros e passagens que parecem conter pouco de edificante. Mas aquele que estiver interessado em conhecer o Deus real em sua plenitude precisa envidar esforços para se aprofundar até mesmo nessas partes das Escrituras que parecem esotéricas e enigmáticas.

Finalmente, quando se trata dos Salmos, é melhor orar com eles do que apenas lê-los como fazemos com outras partes das Escrituras. Da mesma forma como nos empenhamos em saber de cor a Oração do Senhor, também devemos memorizar algumas das orações sálmicas. Jesus parece ter feito isso. Quando estava na cruz, ele citou o salmo que se inicia com "Meu Deus, meu Deus, por que me abandonaste?" (Sl 22.1).

Orar os Salmos apresentará diversos desafios. É fácil fazer isso quando o tom e o tema do salmo combinam com o que se está vivenciando no momento — como a leitura do salmo 51 quando estamos nos sentindo arrependidos ou do salmo 27 quando estamos com medo ou sob pressão. Mas o que acontece se o salmo indicado para o dia está se queixando a Deus sobre sua aparente falta de atenção quando, na verdade, você está se deleitando com o abraço amoroso de Deus? Ou se o salmista louva a bondade de Deus quando Deus lhe parece ausente? Ou, pior, quando o salmo clama a Deus que castigue nossos inimigos, até mesmo com a morte — não deveríamos amar nossos inimigos? Os desafios de orar os Salmos são muitos.

Apesar disso, há uma razão pela qual as comunidades monásticas se empenharam não só em orar regularmente por meio dos Salmos, mas até em memorizar todo o saltério. E a razão é esta: orar os Salmos não é algo que diz respeito a nós; diz respeito à igreja de Jesus Cristo. Quando oramos os Salmos, estamos orando *com* a igreja universal. Mesmo se não

ASSIM ME DIZ A BÍBLIA **191**

estamos no mesmo estado de espírito do salmo, certamente há vários irmãos e irmãs naquele dia que estão. Estamos, então, orando com eles e para eles.

E quanto àquelas passagens perturbadoras que clamam pela vingança dos inimigos? Os Salmos são simplesmente sinceros sobre o que realmente acontece no coração humano. À luz do ensinamento de Jesus, devemos amar nossos inimigos. Mas a sinceridade na oração exige que reconheçamos que provavelmente existe uma parte de nós que lhes deseja o mal. O salmista não facilitará a tarefa para nós nos fornecendo já de início orações piedosas para os inimigos.

Como em outras partes das Escrituras, há um modo de leitura dos Salmos que é teológico e centrado em Cristo. Salmos de lamentação podem ser lidos como o sofrimento de Cristo, salmos régios como a coroação de Cristo no reino vindouro, e salmos que oram pela derrota de inimigos podem ser lidos como a guerra espiritual contra "os principados e potestades".

Além disso, há outra questão: é nos Salmos que encontramos alguns dos versos mais elevados sobre ansiar por Deus, ofegar por ele como uma corça sedenta em busca de água, procurá-lo com ardor em seus mandamentos, e assim por diante. Esses salmos me lembram do que realmente estou procurando e corrigem o rumo de meus passos errantes.

Essa é apenas uma rápida introdução sobre orar os Salmos. Há muito mais a ser dito. Felizmente, existem vários bons livros que nos ajudam nessa tarefa.[2]

Se vocês estão ficando com a impressão de que se lembrar de Deus e aprender a amá-lo novamente exige muita leitura, estão certos: a leitura das Escrituras em primeiro lugar e acima de tudo, porque esse é o principal caminho pelo qual não só aprendemos sobre Deus, mas também passamos a conhecê-lo.

Afinal, somos chamados a amá-lo não apenas de todo o nosso coração, alma e forças, mas também de toda nossa mente. Entretanto, como vimos, há um modo de ler as Escrituras também com o coração.

17
Oração contemplativa

A oração é outro assunto, como o culto coletivo, que mereceria um livro inteiro para ser discutido — ou melhor, vários livros. Naturalmente, a oração é crucial para crescermos profundamente no amor a Deus. Neste livro, todavia, algumas palavras se fazem necessárias sobre uma dimensão da oração. Quase não é necessário dizer que oração não é apenas falar a Deus, mas também escutá-lo, tornando-nos presentes para o Senhor em silêncio.

Para os cristãos em meu país, que são muito ativos, isso é extremamente difícil. Temos atividades a realizar, planos a planejar, sonhos a sonhar, e não conseguimos só ficar sentados fazendo "nada". No entanto, não conseguiremos fazer algo útil se também não desenvolvermos o hábito de não fazer nada.

Estou exagerando aqui para transmitir a ideia, pois fazer nada na presença de Deus é fazer algo, e algo importante. Fazer nada nesse contexto significa não forçar o momento para se encaixar em uma ideia preconcebida de "oração significativa". É deixar acontecer o que tiver de acontecer. Você se apresenta ao Senhor em um momento tranquilo e simplesmente diz: "Aqui estou, Senhor", e deixa acontecer.

Às vezes você experimentará o que parece ser a santa presença. Uma palavra ou frase pode cruzar sua mente. Talvez você receba uma palavra do Senhor. Tais eventos nunca devem ser aceitos sem questionamento, mas verificados nas Escrituras e submetidos à consulta de companheiros na fé.

194 QUANDO FOI QUE COMEÇAMOS A NOS ESQUECER DE DEUS?

E quando eles parecem ser confirmados nessas verificações, podemos nos sentir gratos.

Mas também podemos nos sentir gratos quando eles não são confirmados ou quando nada parece acontecer. Porque o objetivo de nos colocarmos diante do Senhor é nos acostumarmos com a ideia de que não temos controle sobre nossa vida. Sendo pessoas criadas à imagem de Deus, é claro que devemos criar, amar e promover o bem comum e incomum — mas apenas como pessoas que estão nas calmas e afetuosas mãos de alguém. Naqueles momentos de oração silenciosa em que nada acontece — bem, é nesses momentos que o mais importante está acontecendo. Estamos aprendendo a fazer o que Deus mandou: "Aquietem-se e saibam que [Deus é] Deus!" (Sl 46.10).

Nesses momentos, minha mente costuma percorrer as preocupações e tarefas do dia. Quando não consigo livrar a mente e o coração de tais ansiedades, procuro me concentrar no silêncio. Geralmente repito a antiga oração: "Deus santo, Deus forte, Deus misericordioso e imortal, tem piedade de mim". Às vezes isso significa meditar sobre uma palavra ou cena das Escrituras. Outras vezes, saio e medito sobre as glórias da criação.

Este, aparentemente, era o hábito do salmista:

Quando olho para o céu e contemplo a obra de teus dedos,
a lua e as estrelas que ali puseste, pergunto:
Quem são os simples mortais, para que penses neles?
Quem são os seres humanos, para que com eles te importes?
E, no entanto, os fizeste apenas um pouco menores que Deus
e os coroaste de glória e honra.

Salmos 8.3-5

ORAÇÃO CONTEMPLATIVA **195**

E:

Os céus proclamam a glória de Deus;
o firmamento demonstra a habilidade de suas mãos.
Dia após dia, eles continuam a falar;
noite após noite, eles o tornam conhecido.
Não há som nem palavras,
nunca se ouve o que eles dizem.
Sua mensagem, porém, chegou a toda a terra,
e suas palavras, aos confins do mundo.

Salmos 19.1-4

A questão é nos colocarmos no lugar e no estado de espírito que encoraje o deslumbramento.[1]

O grande teólogo da Idade Média, Tomás de Aquino, definiu deslumbramento como "um tipo de desejo [...] de conhecimento; um desejo que vem quando se vê um efeito do qual a causa lhe é desconhecida ou ultrapassa seu conhecimento ou faculdade de entendimento". O deslumbramento nos faz aprender mais sobre algo que nos impressiona por ser enigmático ou fascinante.

Mas é diferente da mera curiosidade, pelo menos de acordo com Aquino. Ele afirma que a curiosidade apresenta uma "tendência a vaguear [...] correndo atrás de vários objetos, sem rumo ou razão". Não se interessa em conhecer algo profundamente. É, de certa forma, o produto da acédia (ou seja, indolência) em sua falta de disciplina intelectual.

O deslumbramento, por outro lado, está bastante ligado ao desejo. É o desejo disciplinado e firme de conhecer algo mais plenamente ou mais profundamente. E em geral se refere a objetos sobre os quais nunca se consegue aprender o suficiente, ou cujas respostas não estão acessíveis sem um longo esforço.

196 QUANDO FOI QUE COMEÇAMOS A NOS ESQUECER DE DEUS?

E, mesmo então, o objeto continua se esquivando ao nosso entendimento.

Meditar sobre a criação, portanto, não é meramente uma questão de conhecer o nome de uma árvore e o ciclo e estrutura da vida orgânica. É contemplar aquelas partes dela que não podem ser dissecadas e nomeadas, não podem ser compreendidas por meio de estatísticas. Em suma, é contemplar até o ponto em que se descobrem novos mistérios e maravilhas.

O deslumbramento é tanto uma sensação física quanto um anseio espiritual. E assim vemos o ápice do deslumbramento expresso em poesia, filosofia e especialmente teologia. É aquele momento em que ficamos sem palavras para descrever o que estamos vivenciando. Quando Paulo está tentando arduamente descrever os caminhos de Deus do início ao fim da história, acaba exclamando:

> Como são grandes as riquezas, a sabedoria e o conhecimento de Deus! É impossível entendermos suas decisões e seus caminhos!
>
> "Pois quem conhece os pensamentos do Senhor?
> Quem sabe o suficiente para aconselhá-lo?"
> "Quem lhe deu primeiro alguma coisa,
> para que ele precise depois retribuir?"
>
> Pois todas as coisas vêm dele, existem por meio dele e são para ele. A ele seja toda a glória para sempre! Amém.
>
> Romanos 11.33-36

O deslumbramento, todavia, requer uma dose de disciplina. Não nos sentimos confortáveis permanecendo em um estado de deslumbramento precisamente porque ele é tão insatisfatório. Se nosso desejo de conhecer melhor o objeto

ORAÇÃO CONTEMPLATIVA **197**

fosse satisfeito, então teríamos chegado ao fim e poderíamos seguir adiante. É assim que lidamos com a maioria dos desejos. Sentimos fome e sede, então comemos e bebemos até nos sentir satisfeitos e aí vamos em frente. Queremos chegar ao fim de um livro para descobrir quem é o assassino e, quando chegamos, iniciamos outro livro.

O problema de viver em uma sociedade abastada não é a riqueza em si. É que nossa riqueza e tempo de lazer nos permitem realizar vários de nossos desejos. Adquirimos o hábito de satisfazê-los e do modo mais rápido possível.

Assim acontece com as tentações sexuais ou a tentação de qualquer vício, sejam drogas, álcool ou comida. A fonte de muitos vícios é o desejo não realizado — desejo por amor, desejo por paz, e assim por diante. E, em vez de aprender a viver com o desejo paciente e devoto pelo que é bom, abreviamos o processo e recorremos, de um jeito ou de outro, a uma resolução temporária.

Os exemplos são inúmeros, mas a questão é, como observei anteriormente, que estamos todos sujeitos ao pecado original de Eva: "A mulher viu que a árvore era linda e que seu fruto parecia delicioso, e desejou a sabedoria que ele lhe daria. Assim, tomou do fruto e o comeu" (Gn 3.6).

Portanto, quando se trata de contemplação, gostamos de nos maravilhar com algo que passou da mera curiosidade ao deslumbramento. Mas não leva muito tempo para nos tornamos inquietos. Quando se trata de meditar sobre alguma palavra ou frase nas Escrituras ou algum prazer na criação, tendemos a abreviar o processo, como fez Eva. Ficamos impacientes com o desejo não satisfeito — nesse caso, o desejo de conhecer. Sentimo-nos angustiados, até oprimidos, porque não conseguimos deixar de pensar naquilo.

198 QUANDO FOI QUE COMEÇAMOS A NOS ESQUECER DE DEUS?

E então fugimos. De volta ao corriqueiro. De volta ao que conseguimos entender e controlar. De volta ao mundo "real". Só que foi o mundo real que acabamos de deixar para trás, e retornamos apenas a uma terra de sombras.

Não é fácil praticar a contemplação, sentar-se em deslumbramento diante do mistério de Deus e sua criação. Não se pode esperar que a pratiquemos com facilidade e por qualquer extensão de tempo devido ao mundo que nos catequiza dia e noite a satisfazer nossos desejos, a praticar ações úteis, a ser eficiente e produtivo. Não é fácil, mas para os que desejam ansiar por Deus como uma corça sedenta anseia por água ou como uma pessoa faminta anseia por alimento, precisamos aprender a nos acostumar a viver com o desejo insatisfeito. É por isso que aprender a arte da contemplação é um aspecto tão crucial de aprender a amar a Deus.

O desejo insatisfeito não precisa ser o mesmo que a experiência da frustração. A frustração ocorre quando exigimos que um desejo seja realizado de acordo com nossa vontade e no que consideramos o momento adequado. O bom desejo insatisfeito é paciente e, na verdade, desfruta e vive desse desejo, na esperança de sua realização no momento certo.

Um casal de noivos experimenta esse tipo de desejo. É em grande parte o que alimenta o relacionamento nos meses antes do casamento e da lua de mel. Anseiam por estar nos braços um do outro na cama, realizando fisicamente o que sentem emocionalmente. O desejo insatisfeito, mas esperado, é a magia do relacionamento durante os longos meses que precedem o casamento.

Essa é a forma pela qual somos chamados a viver com o desejo insatisfeito resultante do anseio por Deus. Não há dúvida de que ele é bondoso, e visita-nos com sua presença

ORAÇÃO CONTEMPLATIVA **199**

benéfica de vez em quando nesta vida. E, na vida vindoura, esse amor será conhecido e vivenciado em formas que ainda não conseguimos imaginar. Porém, dada a realidade do que Deus é e do que somos — ou seja, Deus é infinito e nós somos finitos —, jamais conseguiremos dizer que conhecemos completamente a maravilha que é Deus. Ele sempre será um glorioso mistério para nós, um mistério que anelamos conhecer cada vez mais profundamente e, não obstante, que sempre se esquiva à nossa compreensão. Mas essa não será uma experiência frustrante, porque não faremos exigências sobre como Deus deve satisfazer nossos desejos, ou mesmo nosso deslumbramento. Em vez disso, como os jovens noivos apaixonados, deixaremos que o desejo insatisfeito alimente nosso amor e devoção a ele.

18

Sofrimento

No capítulo anterior, discorri eloquentemente sobre um desejo insatisfeito que não precisa ser frustrante. E, como comentei, alguns desejos insatisfeitos podem ser profundamente prazerosos quando se fica na expectativa de sua satisfação.

Mas preciso ser justo e dizer que há partes da vida com Deus que são frustrantes precisamente por causa de um desejo insatisfeito virtuoso.

Uma esposa anseia por intimidade com o marido, mas ele permanece alheio e distante durante anos.

Um jovem atleta no auge da carreira é atropelado por um carro ao atravessar a rua e fica paralítico pelo resto da vida.

Um afro-americano é obrigado por um policial a sair do carro e é intimidado e molestado apesar de não haver violado nenhuma lei.

Moças na Tailândia são vendidas pelos pais a cafetões para se tornarem brinquedos sexuais para empresários visitantes.

Um homem furioso entra em uma mesquita armado e mata impiedosamente cinquenta pessoas que estavam orando.

Desejo de amor. Desejo de competência. Desejo de justiça. Desejo de vida. Todos os tipos de desejos prejudicados pelo mistério do mal que impregna o planeta. Temos todo o direito de ficar frustrados e gritar a Deus em ira. Nós, crentes, temos nos manifestado assim há muito tempo:

Ó Senhor, por que permaneces distante?
Por que te escondes em tempos de aflição?

SOFRIMENTO **201**

O perverso, em sua arrogância, persegue o pobre;
  que seja pego em suas próprias tramas.
Pois conta vantagem de seus desejos maus;
  elogia os gananciosos e amaldiçoa o SENHOR.

Salmos 10.1-3

Até quando, SENHOR, te esquecerás de mim? Será para sempre?
  Até quando esconderás de mim o teu rosto?
Até quando terei de lutar com a angústia em minha alma,
  com a tristeza em meu coração a cada dia?
Até quando meu inimigo terá vantagem sobre mim?

Salmos 13.1-2

Talvez a queixa mais profunda seja a do profeta Habacuque, que viu a aproximação da destruição de seu povo nas mãos dos babilônios:

Ó SENHOR, meu Deus, meu Santo, tu que és eterno
  certamente não planejas nos exterminar!
Ó SENHOR, nossa Rocha, enviaste os babilônios para nos
    disciplinar,
  como castigo por nossos pecados.
Mas tu és puro e não suportas ver o mal e a opressão;
  permanecerás indiferente diante desses traiçoeiros?
Ficarás calado enquanto os perversos
  engolem os que são mais justos que eles?

Somos apenas peixes para ser apanhados e mortos?
  Somos apenas seres do mar, que não têm quem os guie?
Seremos fisgados por seus anzóis
  e pegos em suas redes enquanto eles se alegram e festejam?
Então eles oferecerão sacrifícios a suas redes
  e queimarão incenso diante delas, dizendo:
  "Essas redes nos enriqueceram!".

202 QUANDO FOI QUE COMEÇAMOS A NOS ESQUECER DE DEUS?

Deixarás que permaneçam impunes?
Continuarão a destruir cruelmente as nações?

Habacuque 1.12-17

Em nossos dias, tais queixas levam muitos ao desespero, à completa rejeição de Deus. O que é interessante naqueles que se queixam na Bíblia é que eles continuam ali, firmes. E gerações após gerações de fiéis têm feito o mesmo. Por quê?

Há inúmeros motivos, mas estou particularmente interessado nos motivos pós-crucificação. Os fiéis suportaram o sofrimento, às vezes pacientemente, às vezes impacientemente, porque queriam ser como Jesus, e queriam conhecer o coração de Deus.

O desejo de conhecer e amar a Deus de todo o coração, alma, mente e forças é mais carregado de dor do que imaginamos. Existe a dor do desejo insatisfeito. Mas existe também a dor de olhar a realidade atual de frente, ver quão distante ela está da bondade de Deus e suas intenções para o mundo, e irromper em lágrimas.

Como Jesus fez quando observou Jerusalém certo dia:

Jerusalém, Jerusalém, cidade que mata profetas e apedreja os mensageiros de Deus! Quantas vezes eu quis juntar seus filhos como a galinha protege os pintinhos sob as asas, mas você não deixou.

Lucas 13.34

E depois, ao se aproximar de Jerusalém, ele chorou e declarou:

Como eu gostaria que hoje você compreendesse o caminho para a paz! Agora, porém, isso está oculto a seus olhos. Chegará o tempo em que seus inimigos construirão rampas para atacar seus muros e a rodearão e apertarão o cerco por todos os lados. Esmagarão você e seus filhos e não deixarão pedra sobre pedra, pois você não reconheceu que Deus a visitou.

Lucas 19.42-44

De modo ainda mais pungente, lembrem-se do que ele fez quando ficou diante do túmulo do amigo recentemente falecido, Lázaro: "Jesus chorou" (Jo 11.35).

Esses são momentos em que fica ainda mais claro que Jesus é Deus encarnado, pois ele se importa com seu povo, sofre com ele e por ele da mesma forma como se descreve que Deus sofreu com ele e por ele:

Quando Israel era menino, eu o amei,
e do Egito chamei meu filho.
Mas, quanto mais o chamava,
mais ele se afastava de mim;
oferecia sacrifícios às imagens de Baal
e queimava incenso aos ídolos.
Ensinei Israel a andar,
conduzindo-o pela mão.
Mas ele não se deu conta
de que era eu quem dele cuidava.
Guiei Israel
com meus laços de amor.
Tirei o jugo de seu pescoço
e eu mesmo me inclinei para alimentá-lo.

Oseias 11.1-4

E quando se trata do sofrimento pessoal, ou seja, do sofrimento infligido a ele por outros, eis o que Jesus exclama em um momento crucial: "Meu Deus, meu Deus, por que me abandonaste?" (Mt 27.46).

204 QUANDO FOI QUE COMEÇAMOS A NOS ESQUECER DE DEUS?

Isso não ecoa a palavra de Deus em Oseias? Deus não lamenta de forma semelhante: "Meu povo, meu povo, por que me abandonaste?"

Se dizemos que queremos conhecer e amar a Deus, esse é o Deus que somos chamados a conhecer e amar — o Deus que conhece a dor do abandono e sofre profundamente. Se vamos conhecê-lo e, mais ainda, ser como ele, precisamos, paradoxalmente, abraçar um mundo e uma vida que abandona Deus e um mundo que muitas vezes sofre porque sente que Deus o abandonou. O desejo de conhecer a Deus é estar disposto a abraçar os sofrimentos de Deus.

Reconheço que estou entrando em território perigoso. Analisei a impassibilidade de Deus — ou seja, a ideia de que Deus, em sua essência, não possa ser surpreendido por nada, não possa ser alarmado por nada, não possa se sentir angustiado por nada, porque é a perfeita paz. Creio que, se existe algo como a essência interna de Deus, ela não pode ser de nenhuma outra forma.

Entretanto, há um grande mistério aqui, no sentido de que Deus não apenas escolheu se revelar como um Deus que se importa, mas também que se importa a ponto de se zangar e a ponto de sofrer. É um Deus que assumiu a carne humana e com ela todos os aspectos emocionais da vida humana, inclusive a raiva diante da hipocrisia e a dor diante da dureza de coração.

E, além do mais, Deus decidiu compartilhar em seu Filho a dor incomensurável da injustiça e do abandono divino:

> Apesar disso, foram as nossas enfermidades que ele tomou
> sobre si,
> e foram as nossas doenças que pesaram sobre ele.

SOFRIMENTO **205**

Pensamos que seu sofrimento era castigo de Deus,
    castigo por sua culpa.
Mas ele foi ferido por causa de nossa rebeldia
    e esmagado por causa de nossos pecados.
Sofreu o castigo para que fôssemos restaurados
    e recebeu açoites para que fôssemos curados.

Isaías 53.4-5

A experiência do Filho está para sempre incorporada na vida da Trindade, de modo que hoje oramos não apenas para um Criador do céu e da terra onisciente e onipotente, que existe em algum lugar metafísico distante, muito distante, mas também oramos intimamente para alguém que conhece a nós e a nossos sofrimentos como ninguém mais:

> Visto, portanto, que temos um grande Sumo Sacerdote que entrou no céu, Jesus, o Filho de Deus, apeguemo-nos firmemente àquilo em que cremos. Nosso Sumo Sacerdote entende nossas fraquezas, pois enfrentou as mesmas tentações que nós, mas nunca pecou. Assim, aproximemo-nos com toda confiança do trono da graça, onde receberemos misericórdia e encontraremos graça para nos ajudar quando for preciso.
>
> Hebreus 4.14-16

Se ainda não ficou claro que uma jornada rumo a desejar a Deus não é cultivar elevação espiritual após elevação espiritual, este capítulo tornará isso claro. Isso não significa negar os momentos reais e tangíveis de presença divina que trazem alegria indescritível. Mas buscar a Deus também significa se arrastar através da poeira pela qual Deus se arrastou em Jesus. Significa que jamais conheceremos e amaremos ao Deus verdadeiro se não abraçarmos o sofrimento e a dor do mundo pelo qual ele sofreu e morreu. É da natureza de Deus compartilhar do sofrimento da criação. Segundo Pedro, estamos destinados a "participar da natureza divina" (2Pe 1.4). Isso significa que estamos destinados a compartilhar do sofrimento de Deus.

Isso também significa que não temos respostas fáceis e rápidas para aqueles que sofrem, quanto mais explicações para nossos próprios sofrimentos. Significa ainda que não precisamos abandonar Deus no meio de tal sofrimento ou que Deus tenha nos abandonado, pois ele deve ser encontrado em meio ao sofrimento, não apenas ao final dele.

Finalmente, significa que o objetivo da vida não é terminar com o sofrimento, nosso ou dos outros. Se pudermos fazer isso, excelente. Grande parte do amar o próximo é fazer exatamente isso. Mas antes da segunda vinda de Jesus, o sofrimento estará conosco sempre. E enquanto o sofrimento estiver conosco, Deus também estará. E é aí que aqueles que anseiam por Deus se encontrarão, às vezes trabalhando para aliviá-lo, às vezes dando conforto em meio a ele, mas, acima de tudo, simplesmente suportando e contemplando o mistério do sofrimento enquanto compartilham da natureza de Deus.

19

Confissão

A vida devotada a desejar a Deus com todas as fibras de nosso ser, ao final será uma vida de glorioso fracasso. É uma vida de fracasso porque o objetivo é humanamente impossível. É glorioso porque esse é o caminho que Deus traçou.

É impossível porque somos pecadores. Desde a Queda, nossa natureza é corrompida. Permanecemos incuravelmente egoístas em todas as áreas da vida. Até nossas motivações religiosas são suspeitas grande parte do tempo. Há uma parte de nós que anseia por Deus simplesmente porque conhecê-lo e amá-lo é uma recompensa em si. E há uma parte de nós que continua devotada porque acreditamos que Deus pode nos tornar pessoas melhores, ou porque tememos o julgamento se não o amarmos, ou porque não queremos ser punidos por nossos pecados — e uma centena de outras motivações nada nobres.

Além disso, como mencionei anteriormente, existe aquela parte de nós que não ama a Deus de forma alguma; ao contrário, pode-se dizer que, na verdade, o odeia. Por causa do poder irrestrito que ele exerce sobre nós. Por causa das exigências que ele nos faz. Pelo fato de que jamais conseguimos fugir dele. A verdade é que, para os ocidentais despreocupados e que gostam de se divertir, Deus parece muito tirano às vezes.

Assim, o chamado a amar a Deus de todo o coração, alma, mente e forças não leva a uma vida de vitórias e mais vitórias, como se todos os dias, de todas as formas, estivéssemos ficando cada vez melhores em amar a Deus, subindo a escada de Jacó degrau a degrau e chegando cada vez mais perto do topo beatífico da montanha.

Foi assim que me senti: quanto mais ansiava por amar a Deus, mais ficava magoado com ele. Quanto mais promessas fazia de desejá-lo com todo o meu ser, mais ansiava por me libertar dele. E mais me via retornando a ele em contrição.

Grande parte da vida com Deus é retornar ao Deus que acabamos de abandonar. Em outras palavras, a parte principal da vida com Deus é aprender a crer — realmente crer — na graça.

É aprender que ele é um Deus que está lá antes de pecarmos e um Deus que continuará lá depois que pecarmos.

É aprender que não há pecado, nem mesmo os pecados que nos afligem com tanta frequência quanto a do nascer do sol, que Deus não perdoe.

É aprender que toda a força de vontade que consigamos reunir não é páreo para a cobiça do coração humano, quanto mais para as astúcias do inimigo.

É aprender a confiar na graça de Deus do princípio ao fim.

Jamais teremos um profundo amor por Deus ou cresceremos em nossa devoção a ele se não aceitarmos em nosso duro coração que ele é graça e amor. Por que iríamos querer nos esforçar, com todo o nosso ser, por menos do que isso?

A vida de retorno a Deus, e retornar a ele de novo e de novo, chama-se vida de arrependimento. Somos propensos a pensar que arrependimento é o que caracteriza o início da vida com Deus ou que seja reservado a ocasiões especiais, como a Quaresma. Mas não deveríamos pensar assim. A primeira palavra pregada por Jesus é a primeira não apenas porque inicia a vida com ele, mas porque caracteriza toda a nossa vida com ele: "Arrependam-se, pois o reino dos céus está próximo" (Mt 3.2).

CONFISSÃO 209

Para não pensarmos que o arrependimento é uma prática mórbida de nossos irmãos ortodoxos e católicos, lembrem-se de que Martinho Lutero iniciou o que iria se tornar a Reforma Protestante pregando suas Noventa e Cinco Teses, das quais a primeira dizia: "Nosso Senhor e Mestre Jesus Cristo quis que a vida inteira dos crentes seja de arrependimento".

Um ritual diário

Sustento que, se realmente quisermos aumentar nossa devoção sincera a Deus, o arrependimento deve se tornar um ritual diário. Não me refiro a um ritual de autoflagelação ou a chafurdarmos em culpa e vergonha. Começamos a confessar porque sabemos que estamos na presença de um Deus de graça, que gosta de nos ouvir em confissão. Sem dúvida sentiremos remorso, mas não do tipo debilitante.

Como um diretor espiritual católico declarou, o Espírito Santo é um espírito de paz, e faz com que sintamos uma "dor tranquila" que nos torna humildes, mas também confiantes na graça de Deus.[1] Autocondenação, raiva de nós mesmos, vergonha profunda — tudo isso são obras do inimigo. Pois nós, pessoas em Cristo, não desesperamos nunca, mesmo depois de cometer um pecado grave, pois sabemos o que Cristo fez por nós na cruz.

Um ritual de arrependimento começa com a confissão. E a confissão começa com um balanço detalhado do dia, geralmente ao final do dia. Aqui está a oração do Livro da Oração Comum que adaptei e que acho de grande auxílio depois de recordar mentalmente minhas faltas diárias:

Deus Todo-poderoso, Pai misericordioso, confesso que pequei contra ti, em pensamentos, palavras e ações, pelo que fiz e pelo

210 QUANDO FOI QUE COMEÇAMOS A NOS ESQUECER DE DEUS?

que deixei de fazer. Não te amei de todo o meu coração, nem ao meu próximo como a mim mesmo. Imploro a tua compaixão; arrependo-me humildemente. Em nome do teu Filho Jesus Cristo, tem piedade de mim, e perdoa-me, de modo que me alegre na tua vontade e ande nos teus caminhos, para a glória do teu nome. Amém.

Acho que essa oração sozinha me inspira a renovar o conhecimento da graça de Deus, mas, se estou me sentindo deprimido, leio a primeira parte do salmo 103.

Todo o meu ser louve o SENHOR;
  louvarei seu santo nome de todo o coração.
Todo o meu ser louve o SENHOR;
  que eu jamais me esqueça de suas bênçãos.
Ele perdoa todos os meus pecados
  e cura todas as minhas doenças.
Ele me resgata da morte
  e me coroa de amor e misericórdia.
Ele enche minha vida de coisas boas;
  minha juventude é renovada como a águia!

O SENHOR faz justiça
  e defende a causa dos oprimidos.

Revelou seus planos a Moisés
  e seus feitos, aos israelitas.
O SENHOR é compassivo e misericordioso,
  lento para se irar e cheio de amor.
Não nos acusará o tempo todo,
  nem permanecerá irado para sempre.
Não nos castiga por nossos pecados,
  nem nos trata como merecemos.
Pois seu amor por aqueles que o temem
  é imenso como a distância entre os céus e a terra.

CONFISSÃO **211**

De nós ele afastou nossos pecados,
tanto como o Oriente está longe do Ocidente.

Salmos 103.1-12

O objetivo desse ritual é duplo. Primeiro, foi projetado para nos lembrar da realidade, especialmente da realidade de que estamos lamentavelmente longe de amar a Deus. Sem a confissão diária, começamos a viver sob a ilusão de que estamos indo muito bem, no fim das contas. Continuando assim, logo soaremos como o fariseu na parábola, que ora no templo: "Eu te agradeço, Deus, porque não sou como as demais pessoas: desonestas, pecadoras, adúlteras" (Lc 18.11). Sem a confissão habitual, começamos a imaginar que, no fundo, não somos desonestos, pecadores e adúlteros.

Como Jesus declarou, é melhor se apresentar diante de Deus com a oração do cobrador de impostos: "Deus, tem misericórdia de mim, pois sou pecador" (Lc 18.13). Esse é o tipo de oração que Deus não apenas aceita como aprecia. Jesus comentou: "Há alegria na presença dos anjos de Deus quando um único pecador se arrepende" (Lc 15.10).

A segunda realidade é também uma que necessita ser repetidamente incutida em nós: que Deus recebe alegremente nossa oração de confissão e perdoa de bom grado. Em suma, esse pequeno ritual foi projetado para instilar em nós uma sólida experiência da graça.

E o ato de confissão, sendo construído e embasado na graça, nos dá a liberdade de explorar nossa pecaminosidade. O objetivo não é castigar a nós mesmos, mas nos ensinar — ou melhor, abrir-nos ao ensinamento do Espírito Santo, que não só nos guia até a verdade sobre nós mesmos como também nos orienta no processo que nos ajuda a crescer até a completa medida da estatura de Cristo.

Uns poucos anos atrás, um amigo me contou de sua batalha contra a pornografia. Ele percebeu que esse pecado aparecia com frequência demasiada quando se confessava. Começou a pensar e a orar mais profundamente sobre o que estava acontecendo. Não era, logo descobriu, uma simples questão de luxúria. Estava sendo tentado também porque se sentia solitário, não tanto em termos de sexo, mas de intimidade, e não apenas em relação aos outros, mas em relação a Deus. À medida que investigava, descobriu que às vezes também se entregava à pornografia porque estava com raiva — às vezes da esposa, às vezes de Deus. E continuou investigando. Viu que na raiz do vício sexual havia pecados mais profundos do que imaginava. Isso o ajudou não apenas a reconhecer ainda mais a graça e o perdão de Deus (que, é claro, conhecia a profundidade dos pecados do meu amigo desde o início), mas também a identificar como orar mais especificamente pelos pecados mais profundos que o afligiam. Na época em que me contou isso, ele não declarou vitória completa, mas afirmou que havia se tornado muito mais capaz de resistir à tentação do que jamais fora.

Pelo fato de confiar na graça de Deus independentemente do que descobrisse em sua investigação, ele se sentiu livre para investigar dimensões mais profundas e às vezes mais odiosas da alma. Isso se tornou um modelo para mim na investigação das dimensões mais profundas de meus próprios pecados habituais.

Confissão a outro

Gostaria de sugerir que nossas confissões íntimas noturnas fossem acrescidas de uma confissão semanal ou mensal a um

CONFISSÃO   213

amigo, pastor ou sacerdote. Essa não é a tradição em várias igrejas protestantes, mas os luteranos e anglicanos ainda a praticam, mesmo que apenas uma vez ao ano, quando pastores e sacerdotes estão disponíveis para ouvir confissões. Alguns cristãos dispõem de um amigo com quem se confessar, mas é raro o amigo em quem se possa confiar o bastante para isso. É ainda mais difícil confiar em seu pastor — razão pela qual algumas pessoas procuram um pastor ou sacerdote de outra igreja para se confessar.

A autorização das Escrituras é indubitavelmente clara: "Confessem seus pecados uns aos outros e orem uns pelos outros para serem curados" (Tg 5.16). Essa verdade milenar foi redescoberta em nossos tempos por vários grupos de reabilitação, sendo o quinto passo dos Alcoólicos Anônimos o mais notável: "Admitimos perante Deus, perante nós mesmos e perante outro ser humano, a natureza exata de nossas falhas".

Há algo de poderoso em reservar um tempo para encontrar as palavras certas (sem dissimulação!) e dizer essas palavras em voz alta a outro ser humano.

Existe também outro fator: como você irá se encontrar com essa pessoa regularmente, isso lhe dará um pouco mais de motivação antes do próximo encontro para prestar atenção aos pecados que acabou de confessar! É bastante constrangedor ter de voltar ao confessor com os mesmos velhos pecados em todos os encontros. Naturalmente, um bom confessor jamais irá repreendê-lo pelo fracasso, mas sim o convidará a continuar se aproximando de Deus, pois Deus se alegra daqueles que se arrependem.

Mas vamos falar a verdade: sempre haverá alguns pecados renitentes que, com ou sem constrangimento, iremos confessar repetidas vezes. Não há como evitar isso. Somos tentados

214 QUANDO FOI QUE COMEÇAMOS A NOS ESQUECER DE DEUS?

a colocar a casa em ordem antes de falar com o confessor, mas isso é cair no jogo do orgulho. Queremos ser capazes de dizer: "Derrotei aquele pecado" ou "Estou progredindo", o que é muito bom, só que uma confissão não é um boletim de colégio, mas um mero reconhecimento dos pontos em que temos deficiências e de como necessitamos da misericórdia de Deus.

Mais claramente ainda, é aí que somos mais uma vez invadidos pela graça ao ouvir as palavras do evangelho vindas de nosso confessor. Precisamos tomar a palavra de Jesus literalmente nesse momento. Durante uma aparição após a ressurreição, João observa que Jesus disse: "'Paz seja com vocês! Assim como o Pai me enviou, eu os envio'. Então soprou sobre eles e disse: 'Recebam o Espírito Santo. Se vocês perdoarem os pecados de alguém, eles estarão perdoados. Se não perdoarem, eles não estarão perdoados'" (Jo 20.21-23).

Em algumas tradições considera-se que isso significa que apenas aqueles em um ofício sacerdotal recebem essa autoridade. Não gostaria de entrar nesse debate. Doutrina da igreja ou não, parece haver uma força existencial maior quando um sacerdote ou pastor absolve o arrependido.

Dito isso, todos os que são discípulos de Jesus dispõem da autoridade de proclamar o perdão do pecado a outra pessoa. Quando confessamos, fazemos isso porque precisamos ouvir de outro as palavras anunciando nossa absolvição. Assim como existe um misterioso poder em falar em voz alta palavras de confissão para instilar em nós uma contrição ainda mais profunda, também existe um misterioso poder em escutar palavras faladas em voz alta que nos confortam sobre nossa absolvição em Cristo.

Em se tratando de qualquer pecado, especialmente pecados renitentes, C. S. Lewis nos oferece um sábio conselho.

Nesta passagem, ele está pensando principalmente na falta de castidade, mas ela se aplica a qualquer pecado com o qual estejamos lutando:

> Podemos, realmente, ter certeza de que a perfeita castidade — como a perfeita caridade — não será obtida por ninguém por meros esforços humanos. É preciso pedir a ajuda de Deus. Mesmo tendo feito isso, pode lhe parecer, por um longo tempo, que nenhuma ajuda, ou menos ajuda do que a necessária, lhe foi concedida. Não se preocupe. Depois de cada fracasso, peça perdão, levante-se e tente outra vez. Com muita frequência a primeira ajuda que Deus nos dá não é a virtude em si, mas essa força para sempre tentar de novo. Por mais importante que seja a castidade (ou coragem, ou honestidade, ou qualquer outra virtude), esse processo nos treina para hábitos da alma que são ainda mais importantes. Cura nossas ilusões sobre nós mesmos e nos ensina a confiar em Deus. Aprendemos, por um lado, que não podemos confiar em nós mesmos nem em nossos melhores momentos e, por outro lado, que não devemos nos desesperar nem em nossos piores momentos, pois nossos erros são perdoados. A única atitude fatal é se contentar com algo menos do que a perfeição.[2]

Não sou fã do desejo por perfeição, embora essa seja uma ideia perfeitamente bíblica (ver Mt 5.48!). Em vista da temática deste livro, prefiro dizer que a única atitude fatal é se contentar com algo menos do que um desejo crescente de conhecer e amar a Deus. O pecado é o grande obstáculo a esse desejo, e a vida de arrependimento é o principal caminho para atingi-lo.

20

Amar o próximo enquanto
se ama a Deus

Era de manhã cedo em um acampamento perto de La Crosse, Wisconsin, um local idílico que fica no meio do rio Mississípi. Aconteceu algo que não costuma acontecer com a frequência que eu gostaria, mas que oro para que aconteça cada vez mais em minha tentativa de buscar a Deus. Notei um pássaro planando junto ao gramado diante de mim. Suponho que estivesse à caça de insetos. À esquerda, avistei, através da neblina matinal, os canais do vasto e misterioso Mississípi. Vi meu pequeno *trailer* branco à direita, o recipiente de metal para fazer fogueira diante de mim, e a cadeira dobrável verde em que eu estava sentado.

O que me ocorreu foi o seguinte: o pássaro, a grama e as flores no gramado, o Mississípi lá embaixo e as nuvens algodoadas lá em cima, tudo parecia vivo com o amor e a presença do Criador.

Ocorreu-me também que o recipiente de metal para fazer fogueira, o *trailer* e todo o seu mecanismo, meu carro, a cadeira em que estava sentado — tudo obra da criação humana — eram viáveis pela graça de Deus, que nos deu a matéria-prima para processar e a criatividade intelectual para imaginar e a habilidade de fabricação para produzir objetos maravilhosos, que alegram o coração. Eles também parecem repletos da glória de Deus.

AMAR O PRÓXIMO ENQUANTO SE AMA A DEUS **217**

Foi um momento em que o mundo ao redor, criado tanto por Deus quanto pelo ser humano, tornou-se um tipo de sacramento, um meio de graça, quando desfrutei novamente da presença e do amor de Deus. Não foi a adoração da criação, mas foi uma glorificação nela.

Essa é uma experiência pela qual a maioria de nós passa de vez em quando. O que desejo é uma ampliação da consciência da presença de Deus, todos os dias. Buscar a Deus não é se retirar do mundo, mas entrar no mundo e perceber o mundo com a mente de Cristo, ver Deus em, com e sob tudo o que vemos e tudo o que fazemos.

Antes de concluir este livro sobre recuperar a dimensão vertical da fé, preciso falar brevemente sobre a horizontal. Parte disso envolve simplesmente reconhecer a onipresença de Deus como fiz naquela esplêndida manhã no Mississípi. Explorar essa dimensão exigiria outro livro. Para os propósitos desta obra, eu gostaria de abordar uma dimensão da vida diária que é tão importante que Jesus a mencionou logo depois de nos convocar a dar tudo a Deus em amor — quase no mesmo fôlego. Este livro diz respeito ao primeiro mandamento, mas eu seria negligente se o encerrasse sem mencionar o segundo, e especificamente como podemos ver a Deus e buscar a Deus ao amarmos o próximo.

Mais uma vez, devemos ser gratos pela dádiva que a igreja dos Estados Unidos traz ao cristianismo global — entre outras dádivas, nosso espírito de confiança, de poder e até mesmo de obrigação. Somos um grupo prático, pensamos frequentemente sobre ética e colocamos mãos à obra.

Assim como acontece com qualquer virtude, nossa atitude confiante também pode se tornar uma fraqueza, e indiquei vários modos pelos quais o horizontal pode eclipsar o vertical. Em certo sentido, essa tensão entre o vertical e o horizontal estará sempre conosco. Em outros aspectos, não há nenhuma tensão. Como escrevi, o próprio Jesus mal tomou fôlego entre os dois mandamentos ao enunciá-los. E todos conhecemos pessoas — às vezes até nós mesmos — em quem os dois estão conectados de modo tão orgânico que mal notamos a diferença.

Ainda assim, acho que é justo com o leitor mostrar como se parece o amor de Deus em vidas comprometidas em amar o próximo.

Para começar, quase não há diferença.

Isto é, independentemente do quanto ansiemos por Deus e desejemos desfrutar desse amor, ainda precisamos nos vestir, arrumar as crianças para ir à escola, realizar as tarefas do dia em casa ou no escritório. Ainda precisamos ajudar os vizinhos, ver o que podemos fazer em benefício dos sem-teto, trabalhar contra o aborto e o preconceito racial, frequentar as reuniões do conselho de educação cristã, apoiar missões pelo mundo, e assim por diante.

Deus nos deu seis dias por semana para amar o próximo — o próximo em nosso lar, o próximo na casa ao lado e o próximo do outro lado do mundo. Este livro não é um chamado a deixarmos de fazer isso.

Mas se *parece* não haver diferença, então por que fazer isso?

Bem, o amor a Deus é uma daquelas coisas que podem não parecer muito diferentes, mas que fazem toda a diferença do mundo.

Sem dúvida, mudará a forma de nossa vida externa até certo ponto. Comentei sobre a necessidade de reservar entre dois e quatro breves momentos ao dia para ler as Escrituras e orar — um tipo de pausa para o café para Deus. Você se dará

AMAR O PRÓXIMO ENQUANTO SE AMA A DEUS **219**

conta de que está fazendo isso, mas dificilmente outra pessoa perceberá.

Você pode acrescentar um retiro para oração de poucos em poucos meses, ou talvez uma vez ao ano. Pode levantar meia hora mais cedo para assegurar-se de iniciar o dia com uma oração. Mas, a partir do exterior, não sei se isso mudará muito sua vida.

Entretanto, como escrevi, isso ainda fará toda a diferença.

Para começar, quando o desejo por Deus se tornar como deveria ser — algo buscado com cada fibra de nosso ser —, ele manterá o foco de nossa vida onde deve estar.

Para chegar a esse ponto, elucidemos a natureza do segundo grande mandamento. Trata-se de amar o próximo e, em particular, amar o próximo *como amamos a nós mesmos*. O significado dessa pequena frase é, com certeza, profundo e amplo, mas, para nossos propósitos aqui, quero focar um aspecto crucial.

Como argumentei nos capítulos de abertura, nas palavras de Agostinho, nosso coração não tem sossego enquanto não repousar em Deus. Ou seja, em primeiro lugar e acima de tudo, para além de qualquer outro motivo, fomos criados para amar a Deus com todo o coração, alma, mente e forças. Nosso destino e propósito finais, pelos quais nos transformaremos em quem Deus nos criou para ser, é glorificar a Deus e desfrutar dele para todo o sempre. Aqueles que amam a si mesmos se dedicarão — de coração, alma, mente e forças — a realizar isso em sua vida, com total confiança na graça de Deus.

Se amamos o próximo como a nós mesmos, então parece adequado desejar que eles entrem nessa gloriosa dimensão da vida também e que façamos tudo o que está em nosso poder para ajudá-los nessa jornada. Amar o próximo como a nós mesmos significa orar e trabalhar para que eles amem a Deus

220 QUANDO FOI QUE COMEÇAMOS A NOS ESQUECER DE DEUS?

com todo o coração, alma, mente e forças, de modo que o coração deles repouse em Deus.

Isso não significa que cada um de nós tenha o dom do evangelismo, ou que o evangelismo seja a única solução. Nada disso. Amar o próximo começa com pequenos detalhes, desde trocar fraldas até mudar leis. Mas *como a si mesmo* significa que trocar fraldas e mudar leis não são atividades projetadas para acalmar o inquieto e errante coração humano. Dificilmente podemos alegar que amamos o próximo se só o que desejamos para ele é tirá-lo da pobreza ou resgatá-lo da injustiça. Esses são grandes atos de amor, não há dúvida. Mas se nós o amamos como a nós mesmos, vamos conservar a esperança e orar para que embarque em uma jornada rumo a Deus — aquilo para o qual o próximo foi, em última análise, criado.

Novamente, isso não significa que daremos um panfleto para cada pessoa a quem servimos em um abrigo para pessoas sem-teto ou que tentaremos dar testemunho ao legislador a quem queremos convencer a tornar o aborto mais difícil. Significa que sabemos qual é realmente o fim do jogo, qual é o propósito último para nós e para a vida do mundo. E que, quando voltarmos para casa à noite, louvaremos a Deus pelo que ele nos possibilitou fazer naquele dia e então, com um desejo que continua a nos preencher, oraremos: "Venha o teu reino", quando todos desfrutarão da presença de Deus, glorificando-se na maravilha de seu amor.

Não somos responsáveis por salvar o mundo, mas apenas por amar o próximo, seja qual for a forma que isso assuma. Mas somos responsáveis por orar pelo mundo e esperar, apesar de tudo, que todos formarão um relacionamento vital e amoroso com o Criador.

AMAR O PRÓXIMO ENQUANTO SE AMA A DEUS **221**

Como já foi observado, isso significa aprender a viver com certa dose de dor. Todos conhecemos muitas pessoas a quem amamos, mas com quem talvez jamais tenhamos a oportunidade de conversar sobre esses assuntos fundamentais. Temos visto alguns a quem amamos se afastarem de Deus. Outros o rejeitam em fúria. Outros ainda agem como se não fizesse diferença se há um deus ou não. Para aqueles na jornada do desejo divino, isso magoa. Causa tristeza. E isso também é parte do que significa amar o próximo: sofrer nesses momentos. E, como comentei, isso também é participar dos sofrimentos de Cristo.

Há outra influência positiva que a vida comprometida em buscar a Deus trará quando se trata de amar o próximo. Ela irá manter o próximo diante dos olhos.

Tome, por exemplo, a família. Celebramos adequadamente as bênçãos horizontais da vida familiar: o prazer da intimidade, física e emocional, com a esposa; a alegria de ter filhos; os netos que garantem a continuidade familiar. Apesar disso, Deus também projetou o casamento para nos indicar uma união maior para além da família. Como diz Paulo, citando as Escrituras: "'Por isso o homem deixa pai e mãe e se une à sua mulher, e os dois se tornam um só.' Esse é um grande mistério, mas ilustra a união entre Cristo e a igreja" (Ef 5.31-32). O amor familiar, portanto, foi concebido para nos possibilitar amar a Deus também.

Ou então considere a busca de justiça e reconciliação racial. Geralmente falamos sobre esses assuntos em termos completamente horizontais, e geralmente julgamos se cumprimos esses valorosos objetivos contando cotas ou avaliando se há amor entre grupos étnicos. Tais esforços passariam para uma nova dimensão se a obra de reconciliação de Cristo estivesse na base de nossos esforços. Isso nos lembraria de que não temos de trabalhar para nos reconciliar, mas apenas realizar a reconciliação que Cristo já executou: "Porque Cristo é nossa paz. Ele uniu judeus e gentios em um só povo ao derrubar o muro de inimizade que nos separava" (Ef 2.14,16). A diferença de tom é a que existe entre salvação pelas obras e desenvolvimento da salvação: a primeira é um fardo impossível; a última, uma consideração da graça. A primeira joga o foco sobre nossos fracassos e esforços; a segunda é forjada pela obra de Deus em Cristo. E, assim como com a família, o amor a Deus e ao próximo andam de mãos dadas.

O mesmo se aplica a qualquer causa ou questão de justiça que defendamos.

Considere o aborto. O movimento contra essa prática normalmente é chamado de pró-vida. Muitas vezes falamos sobre o mal do aborto em termos do número de vidas humanas que foram sacrificadas por essa prática cruel. E celebramos o número de bebês salvos. Dizemos "sim" a isso, e repetimos: sim! Mas o objetivo final de salvar vidas é para que essas vidas possam se reunir às nossas e às de toda a igreja no amor e na glorificação a Deus.

Considere o meio ambiente. Sim, somos chamados a ser protetores e guardiões deste planeta. E devemos celebrar sempre que recuperamos um ecossistema, salvamos uma espécie da extinção ou criamos um ambiente com menos produtos químicos prejudiciais nos alimentos e no ar. Mas o objetivo final de cuidar da criação é perceber que toda a criação aponta para a glória do Criador. Cuidar da criação é, no fim, cuidar do Criador — uma atividade que aprofunda nosso amor a Deus.

Não é difícil ver como essa mesma lógica funciona quando se trata da reforma da imigração, do tráfico sexual, dos sem-teto, da saúde pública, de formar uma família, abrir um negócio, estudar ciência ou seja lá o que for. Há um penúltimo objetivo, mas também há sempre o objetivo final.

Existe a tentação de sermos práticos aqui e observar que os cristãos mais ativos e vigorosos na arena pública tendem a dar grande ênfase à vida de oração. Isso porque eles aprenderam que não podemos servir a Deus no mundo se não estivermos em um relacionamento profundo com Deus em nossa alma. Isso não é novo — a não ser para aqueles que, entusiasmados em fazer o bem no mundo, se esquecem da oração.

Não quero negar esse relacionamento e essa realidade. Mas não quero me demorar muito nesse ponto porque, novamente, corremos o risco de tornar o horizontal o primeiro mandamento. Ou seja, uma vida devotada, com Deus, torna-se importante não porque nos ajuda a amar a Deus, mas principalmente porque nos dá vontade e energia para amar o próximo. Deus se torna um meio para algo mais. Entretanto, amar a Deus é crucial em si mesmo e por motivos próprios — e nos levará, inevitavelmente, a amar o próximo. É bom que conservemos em primeiro lugar o que vem primeiro, como Jesus fez ao listar esses dois grandes mandamentos.

No final das contas, isso não é um chamado para desestimular as boas obras, especialmente quando conduzem ao amor ao próximo. Mas não vamos cair na tentação de nos esquecermos de Deus, de gerenciarmos nossa vida e ministério durante longos períodos como se ele não existisse, como se não fizesse nenhuma diferença se ele existisse. No pior dos casos, isso é idolatria. No melhor, é uma fórmula para o desânimo e o desespero. Fomos criados para fins melhores.

Não é de surpreender que minha oração para a igreja nos Estados Unidos nas próximas décadas, especialmente a ala evangélica, é que ainda seja conhecida como um povo que ama o próximo de modo dinâmico e sacrificatório.

Não obstante, minha oração é, acima de tudo, para que ela volte a ser conhecida como formada até mesmo por, quem sabe, monomaníacos por Deus, que, quando pressionados a falar sobre o foco de sua vida, recorrerão às palavras de Juliana de Norwich: "Eu o vi e o busquei. Eu o tive e o quis".

Agradecimentos

Como foi comentado na introdução, este livro é a culminação de décadas participando do movimento evangélico e observando-o. Considero uma das grandes dádivas de minha vida ter tido a oportunidade de ver o movimento do ponto privilegiado que constitui o ministério na *Christianity Today*. Sinto-me, assim, em dívida com Marshall Shelley, que aceitou correr o risco de apostar em um jovem ministro em 1989, acreditando que ele pudesse ser transformado em algo que se parecesse com um jornalista. Durante meus trinta anos no ministério, recebi muita consideração e sábias orientações de meus supervisores imediatos, não apenas de Marshall (na *Leadership Journal*), mas também de Kevin Miller (na *Christian History*), David Neff (na CT) e depois Harold Smith (quando me tornei editor-chefe). Além disso, muitos colegas ajudaram a afiar minhas ideias ao longo dos anos; certamente nenhum mais do que Ted Olsen, meu bom amigo e mais rigoroso editor!

Partes deste livro foram publicadas primeiramente na *Christianity Today* em uma série de artigos intitulada " A presença evasiva". A não ser por algumas pequenas correções, esses artigos foram republicados aqui mediante autorização. Sou grato à CT e aos leitores que ofereceram críticas que me ajudaram a aperfeiçoar meus argumentos.

Tentei acrescentar notas sobre as influências recebidas ao longo do livro, mas não há dúvida de que nem sempre me lembro de quem ou de que livro absorvi inicialmente algumas dessas ideias. Não alego que nada neste livro seja original.

Um modelo de paciência tolerante em todo esse processo foi Jon Farrar, meu editor na Tyndale. Ele me contratou para escrever um livro em 2011. Iniciei dois livros diferentes desde então, e acabei abandonando os dois. Fico feliz que ele tenha gostado da ideia deste livro; de outro modo ainda estaria na estaca zero.

Jonathan Schindler encarregou-se de revisar o original e aprimorou-o de várias maneiras. Poupou-me de muitos constrangimentos e esclareceu meu pensamento em pontos importantes. Seu entusiasmo pelo livro foi também um grande estímulo para mim.

No topo da lista do *Hall* da Fama da Paciência Tolerante está minha esposa, Barbara. Muitas das ideias deste livro foram primeiro testadas com ela em conversas, muitas vezes tingidas por meu habitual tom presunçoso ou exagerado. Ao longo dos anos, ela me ensinou a ser mais ponderado em meus julgamentos e mais compreensivo em relação aos outros. Como partes deste livro demonstram, ela ainda tem muito trabalho a fazer.

Notas

Introdução
[1] Dave Tomlinson, *The Post-Evangelical* (Great Britain: SPCK, 2014), p. ix.
[2] Brian D. McLaren, *A New Kind of Christianity: Ten Questions That Are Transforming the Faith* (New York: HarperOne, 2010), p. 6.
[3] Mark Labberton, "Political Dealing: The Crisis of Evangelicalism", discurso feito na Wheaton College, IL, 16 de abril de 2018, <https://www.fuller.edu/posts/political-dealing-the-crisis-of-evangelicalism/>. Todos os acessos em 5 de março de 2021, salvo indicação específica.
[4] Mark Labberton, ed., *Still Evangelical? Insiders Reconsider Political, Social, and Theological Meaning* (Downers Grove, IL: InterVarsity Press, 2018).
[5] Molly Worthen, *Apostles of Reason: The Crisis of Authority in American Evangelicalism* (Oxford: Oxford University Press, 2016).
[6] Michael Spencer, "My Prediction: The Coming Evangelical Collapse", *Internet Monk* (blog), 27 de janeiro de 2009, <http://www.internetmonk.com/archive/my-prediction-the-coming-evangelical-collapse-1>.

Capítulo 1
[1] Christopher Hitchens, *Love, Poverty, and War: Journeys and Essays* (New York: Nation Books, 2004), p. 375.
[2] St. Bernard of Clairvaux, *Commentary on the Song of Songs*, trad. Matthew Henry (Altenmünster, Alemanha; Jazzybee Verlag, 2016), p. 11.
[3] St. Bernard of Clairvaux, *On Loving God*, trad. William Harmon van Allen (South Wales: Caldey Abbey, 1909), p. 27, Christian Classics

228 QUANDO FOI QUE COMEÇAMOS A NOS ESQUECER DE DEUS?

Ethereal Library, <https://www.ccel.org/ccel/bernard/loving_ god.viii.html>. [No Brasil, *Um tratado sobre o amor de Deus*. São Paulo: Paulus, 2018.]

[4]Oliver Joseph, ed., "Pascal's Memorial", trad. Elizabeth T. Knuth, revisado em 2 de agosto de 1999, <http://www.users.csbsju. edu/~eknuth/pascal.html>.

[5]C. S. Lewis, *Surprised By Joy* (New York: HarperCollins, 1955), p. 17, 19. [No Brasil, *Surpreendido pela alegria*. Viçosa, MG: Ultimato, 2015.]

[6]Julian of Norwich, *Revelations of Divine Love*, trad. Elizabeth Spearing (New York: Penguin Books, 1998), p. 55. [No Brasil, *Revelações do amor divino*. São Paulo: Paulus, 2018.]

[7]Augustine, *Confessions*, 2ª ed., trad. F. J. Sheed, ed. com notas Michael P. Foley (Indianapolis: Hackett, 2006), p. 21.

[8]Idem.

Capítulo 2

[1]Jonathan Edwards, "A Narrative of Conversions", in *The Works of Jonathan Edwards*, vol. 1, (London: Westley and Davis, 1835), p. 348.

[2]Os três parágrafos anteriores foram adaptados de um artigo que escrevi, "Revival at Cane Ridge", *Christian History*, nº 45, 1995, <https://www.christianitytoday.com/history/issues/issue-45/ revival-at-cane-ridge.html>.

[3]Charles G. Finney, *Lectures on Revivals of Religion* (New York: Fleming H. Revell, 1868), Christian Classics Ethereal Library, <https:// www.ccel.org/ccel/finney/revivals.iii.i.html>.

[4]Timothy Keller, "Revival: Ways and Means", Timothy Keller (*blog*), 10 de janeiro de 2011, <http://www.timothykeller.com/ blog/2011/1/10/revival-ways-and-means>.

[5]"Phoebe Palmer: Mother of the Holiness Movement", *Christian History* (*blog*), Christianity Today, <https://www.christianitytoday. com/history/people/moversandshakers/phoebe-palmer.html>.

[6]Walter Rauschenbusch, *A Theology for the Social Gospel* (New York: MacMillan, 1917), p. 95. Uma versão eletrônica pode ser encontrada

em: <https://archive.org/stream/theologyforsoc00raus/theology
forsoc00raus_djvu.txt.>. [No Brasil, *Uma teologia para o evangelho social*. São Paulo/Vitória: ASTE/Editora Unida, 2019.]

[7]Ted Olsen, "American Pentecost", *Christian History* (*blog*), Christianity Today, <https://www.christianitytoday.com/history/issues/issue-58/american-pentecost.html>.

[8]John Dart, "Reverend Got Tongue-Lashing for Beliefs", *Los Angeles Times*, 3 de julho de 1997, <https://www.latimes.com/archives/la-xpm-1997-jul-03-me-9454-story.html>.

[9]Como ainda sustenta a pequena Igreja da Fé Apostólica. Esse grupo religioso foi fundado por uma das primeiras líderes pentecostais, Florence Crawford. Em sua insistência formal nas línguas como evidência do Espírito Santo, é uma visão minoritária. Mas não é difícil encontrar muitos pentecostais e carismáticos que, embora evitem essa visão, agem como se as línguas fossem o único sinal seguro do batismo pelo Espírito Santo. Ver "The Baptism of the Holy Ghost (In Depth)", Apostolic Faith Church, <http://apostolicfaith.org/library/doctrinal/article/the-baptism-of-the-holy-ghost-booklet>.

[10]Mark Galli, "Point of Crisis, Point of Grace", *SoulWork* (*blog*), Christianity Today, 21 de janeiro de 2010, <https://www.christianitytoday.com/ct/2010/januaryweb-only/13-43.0.html>.

[11]A propósito, a expressão "ateu prático" ocorreu a nós dois depois de ler o livro de Anthony Bloom, *Beginning to Pray* (Mahwah, NJ: Paulist Press, 1970).

Capítulo 3

[1]Walter Rauschenbusch, *A Theology for the Social Gospel* (New York: Macmillan, 1917), p. 95.

[2]Idem, p. 131.

[3]Idem, p. 143.

[4]Idem, p. 135.

[5]Idem, p. 120.

[6]Idem, p. 144-145.

230 QUANDO FOI QUE COMEÇAMOS A NOS ESQUECER DE DEUS?

[7] Emil Brunner, *The Word and the World* (London: SCM Press, 1931), p. 108.

[8] Wilbert R. Shenk, "Lesslie Newbigin's Contribution to the Theology of Mission", *The Bible in TransMission*, Special Edition, 1998: 3-6.

[9] Wesley L. Handy, "Missional Homeschooling", *A Mission-Driven Life (blog)*, 31 de maio de 2011, <https://missionsforum.wordpress.com/2011/05/31/missional-homeschooling/>.

[10] Christopher J. H. Wright, *The Mission of God: Unlocking the Bible's Grand Narrative* (Downers Grove, IL: InterVarsity Press, 2018), p. 29. [No Brasil, *A missão de Deus: Desvendando a grande narrativa da Bíblia*. São Paulo: Vida Nova, 2014.]

[11] Wright, *The Mission of God*, p. 23.

Capítulo 5

[1] Muitos artigos falaram sobre esse fenômeno. Entre outros, The World Bank, "Decline of Global Extreme Poverty Continues but Has Slowed: World Bank", comunicado de imprensa, 19 de setembro de 2018, <https://www.worldbank.org/en/news/press-release/2018/09/19/decline-of-global-extreme-poverty-continues-but-has-slowed-world-bank>; e James R. Rogers, "What's Behind the Stunning Decrease in Global Poverty?", *First Things*, 26 de novembro de 2013, <https://www.firstthings.com/web-exclusives/2013/11/whats-behind-the-stunning-decrease-in-global-poverty>.

[2] D. Michael Lindsay, *Faith in the Halls of Power: How Evangelicals Joined the American Elite* (New York: Oxford University Press, 2008).

Capítulo 6

[1] Citado em Hans Boersma, *Seeing God: The Beatific Vision in Christian Tradition* (Grand Rapids: Eerdmans, 2018), p. 14.

Capítulo 7

[1] Esta citação e a anterior foram extraídas de Mark Galli, "Revival at Cane Ridge", *Christian History*, n°. 45, 1995, <https://www.

christianitytoday.com/history/issues/issue-45/revival-at-cane-ridge.html>.

Capítulo 8

[1] Christian Smith e Melinda Lunquist Denton, *Soul Searching: The Spiritual and Religious Lives of American Teenagers* (New York: Oxford University Press, 2009).

[2] Hans Boersma, *Scripture as Real Presence: Sacramental Exegesis in the Early Church* (Grand Rapids, MI: Baker Academic, 2017), cap. 1, Kindle.

[3] Idem, cap. 1.

[4] Idem, prefácio.

Capítulo 10

[1] James S. Bielo, *Words upon the Word: An Ethnography of Evangelical Group Bible Study* (New York: NYU Press, 2009), p. 6.

[2] "Largest High Schools in the United States", Largest.org, 16 de junho de 2019, <https://largest.org/people/high-schools-us/>.

[3] "UCF Facts 2018-19", Universidade da Flórida Central, <https://www.ucf.edu/about-ucf/facts/>. Acesso em 12 de setembro de 2019.

[4] Michael Mack, "Lyman Coleman: Small Groups Are Much More Than an Assimilation Strategy", *Small Group Leadership* (*blog*), 9 de outubro de 2013, <https://smallgroupleadership.com/2013/10/09/lyman-coleman-small-groups-are-much-more-than-an-assimilation-strategy/>.

Capítulo 11

[1] Jacob Weisberg, "We Are Hopelessly Hooked", *The New York Review of Books*, 25 de fevereiro de 2016, <https://www.nybooks.com/articles/2016/02/25/we-are-hopelessly-hooked/>.

[2] Sherry Turkle, *Reclaiming Conversation: The Power of Talk in a Digital Age* (New York: Penguin Books, 2015). Esses comentários se encontram ao longo de todo o livro e nas conversas cotidianas sobre mídia social.

232 QUANDO FOI QUE COMEÇAMOS A NOS ESQUECER DE DEUS?

[3] Olga Khazan, "'Find Your Passion' Is Awful Advice", *The Atlantic*, 12 de julho de 2018, <https://www.theatlantic.com/science/archive/2018/07/find-your-passion-is-terrible-advice/564932/>.
[4] *Handbook of Prayers* (Studium Theologiae Foundation: Manila, 1986), posição 3228.

Capítulo 13

[1] C. S. Lewis, *The Screwtape Letters* (edição original 1942; esta edição: Nova York: Harper Collins, 1996), p. ix. [No Brasil, *Cartas de um diabo a seu aprendiz*. Rio de Janeiro: Thomas Nelson Brasil, 2017.]
[2] "Prayer to St. Michael the Archangel", Eternal Word Television Network, <https://www.ewtn.com/catholicism/devotions/prayer-to-st-michael-the-archangel-371>.
[3] "The Porn Phenomenon", Barna, 5 de fevereiro de 2016, <https://www.barna.com/the-porn-phenomenon/>.

Capítulo 14

[1] Charles Taylor, *The Ethics of Authenticity* (Cambridge, MA: Harvard University Press, 2018), p. 16-17. [No Brasil, *A ética da autenticidade*. São Paulo: É Realizações, 2011.]
[2] As citações da história de Elias são de 1Reis 18.20-39.
[3] C. S. Lewis, *Surprised By Joy* (New York: HarperCollins, 1955), p. 279. [No Brasil, *Surpreendido pela alegria*. Viçosa, MG: Ultimato, 2015.]

Capítulo 15

[1] Mark Galli, *Beyond Smells and Bells: The Wonder and Power of Christian Liturgy* (Brewster, MA: Paraclete, 2008).
[2] Richard Foster, "Casting Vision Next Forty Years" (texto não publicado, junho de 2018), arquivo do MS-Word.

Capítulo 16

[1] Mais uma vez, recomendo o livro de Hans Boersma, *Scripture as Real Presence: Sacramental Exegesis in the Early Church* (Grand

NOTAS **233**

Rapids, MI: Baker Academic, 2017). Outros livros que ensinam uma leitura mais profunda das Escrituras são: Peter Leithart, *Deep Exegesis: The Mystery of Reading Scripture* (Waco, TX: Baylor University Press, 2009); e Daniel Treier, *Introducing Theological Interpretation of Scripture: Recovering a Christian Practice* (Grand Rapids, MI: Baker Academic, 2008).

[2] Eugene Peterson, *Praying with the Psalms: A Year of Daily Prayers and Reflections on the Words of David* (New York: HarperOne, 1993); Dietrich Bonhoeffer, *Psalms: The Prayer Book of the Bible* (Minneapolis: Fortress Press, 1974); e Ben Patterson, *Praying the Psalms: Drawing Near to the Heart of God* (Carol Stream, IL: Tyndale Momentum, 2008).

Capítulo 17

[1] As citações seguintes de Tomás de Aquino são extraídas da Suma Teológica como citada em "Desire and Wonder: Essential Elements in Catechesis", *Dominican Sisters of Saint Cecilia*, 11 de abril de 2016, https://www.nashvilledominican.org/desire-wonder-essential-elements-catechesis/.

Capítulo 19

[1] Essa declaração costuma ser atribuída ao santo católico conhecido como Padre Pio (1887–1968), mas não consegui encontrar a referência original. Apesar disso, independentemente de quem a tenha dito primeiro, é uma ideia poderosa.

[2] C. S. Lewis, *Mere Christianity* (New York: HarperCollins, 2001), p. 101-102. [No Brasil, *Cristianismo puro e simples*. São Paulo: Thomas Nelson Brasil, 2017.]

Compartilhe suas impressões de leitura,
mencionando o título da obra, pelo e-mail
opiniao-do-leitor@mundocristao.com.br
ou por nossas redes sociais

Esta obra foi composta com tipografia Palatino
e impressa em papel Pólen Soft 70 g/m^2 na gráfica Imprensa da fé